GLI ADELPHI
209



Fra le opere di Knut Hamsun (1859-1952), Premio Nobel 1920 per la letteratura, ricordiamo: *Misteri* (1892), *Pan* (1894; Adelphi, 2001), *Victoria* (1898), *L'estrema gioia* (1912), *Il risveglio della terra* (1917), *August* (1930), *Il cerchio si chiude* (1936). *Fame* apparve per la prima volta nel 1890.

*Knut Hamsun*

# Fame

ADELPHI EDIZIONI

TITOLO ORIGINALE:
*Sult*

Traduzione di Ervino Pocar


WWW.ADELPHI.IT

ISBN 978-88-459-1698-4

| Anno | | | | Edizione | | | | | | |
|---|---|---|---|---|---|---|---|---|---|---|
| 2020 | 2019 | 2018 | 2017 | 6 | 7 | 8 | 9 | 10 | 11 | 12 |

# FAME

# CAPITOLO I

A quel tempo ero affamato e andavo in giro per Christiania, quella strana città che nessuno lascia senza portarne i segni...

Ero coricato, sveglio, nella mia soffitta: sotto di me una pendola sonava le sei. Era già piuttosto chiaro. Sulle scale si sentiva una certa animazione. In basso, accanto alla porta, dove la parete era tappezzata con vecchi numeri del «Morgenbladet», distinguevo benissimo un avviso del direttore dei Fari. Un po' più a sinistra il fornaio Fabian Olsen elogiava a lettere cubitali il suo pane fresco.

Appena aperti gli occhi mi ero messo a riflettere: ci sarà oggi qualche cosa che mi possa dar gioia? Gli ultimi tempi erano stati per me piuttosto magri. Della mia roba un pezzo dopo l'altro era andato al Monte di Pietà. Ero diventato nervoso e irascibile. Alcune volte ero rimasto a letto perfino di giorno con il capogiro. Quando la fortuna mi assisteva, riuscivo a prendere cinque corone per un articolo che qualche redazione mi accettava.

Via via che la luce aumentava incominciai a leggere gli avvisi economici là in fondo vicino alla porta.

Riuscivo perfino a distinguere le lettere sottili e beffarde: «Addobbi funebri presso la signora Andersen, nel portico, a destra». Per un po' vi fermai l'attenzione. E solo quando sentii la pendola sonare le otto, mi alzai e mi vestii.

Aperta la finestra guardai fuori. Il panorama era una fune da biancheria e l'aperta campagna. In lontananza sorgevano i ruderi di un'officina distrutta da un incendio. Alcuni operai li stavano demolendo. Appoggiati i gomiti sul davanzale, guardai il cielo, che prometteva una bella giornata. Era arrivato l'autunno, la stagione fresca e delicata nella quale ogni cosa si scolora e trapassa. Le strade erano già piene di rumori che m'invitavano a uscire. Quella mia soffitta nuda col pavimento che cedeva a ogni passo era come una bara tarlata, raccapricciante. Non aveva neanche una serratura decente né una stufa. Di notte mi tenevo di solito le calze per trovarle un po' asciutte al mattino. L'unica cosa che mi dava piacere era una piccola sedia a dondolo verniciata di rosso. Mi ci sedevo ogni sera e mezzo appisolato pensavo a un'infinità di cose. Quando il tempo era burrascoso e il portone di casa era aperto si udivano strani fischi attraverso il pavimento e le pareti, e nel «Morgenbladet», laggiù presso la porta, si aprivano squarci lunghi una spanna.

Mi levai di lì e andai a rovistare in un fagotto che tenevo nell'angolo dietro il letto per vedere se c'era qualche cosa da metter sotto i denti, ma non trovai nulla e ritornai alla finestra.

Chi sa, pensavo, se tutte le mie ricerche di lavoro saranno vane? I numerosi rifiuti, le mezze promesse, i no chiari e tondi, le speranze nutrite e deluse, i nuovi tentativi sempre infruttuosi, tutto ciò aveva smorzato il mio coraggio. Ultimamente mi ero presentato per un posto di fattorino di banca, ma ero arrivato troppo tardi. Oltre a ciò non avrei potuto versare le cinquanta corone di cauzione. Qualche ostacolo c'era sempre. Avevo provato ad arruolarmi anche nei pompieri. Nell'atrio saremo stati in cinquanta, il petto in fuori per darci arie di forza e di grande ardire. Un alto funzionario squadrò i concorrenti, palpò le braccia, fece alcune domande... ma arrivato a me, passò via limitandosi a scrollare il capo e a dire che ero scartato per via degli occhiali. Mi presentai una seconda volta senza occhiali e aggrottando le sopracciglia aguzzai gli occhi come punte di spillo: quell'uomo mi passò davanti di nuovo e sorrise... Probabilmente mi aveva riconosciuto. Ma il peggio era che i miei abiti si andavano logorando al punto che non potevo più concorrere decentemente ad alcun posto.

Com'ero caduto in basso! Con moto preciso e uniforme: finché un giorno, strana cosa, mi trovai senza nulla, senza nemmeno un pettine o un libro da leggere, e fui molto triste. Durante tutta l'estate mi ero aggirato nei cimiteri o nel parco del Castello dove mi ero seduto a scrivere articoli per i giornali, una colonna dopo l'altra, sui più svariati argomenti, capricci, fantasticherie singolari, trovate del mio cervello irrequieto. Nella mia disperazione avevo scelto talvolta gli argomenti più astrusi, mi ci ero torturato a lungo... senza riuscire a collocarli presso un giornale. Appena finito un articolo ne incominciavo un altro. Il rifiuto del redattore mi scoraggiava di rado. Continuavo a ripetermi: una buona volta dovrò pur riuscire. Infatti, ogni tanto avevo fortuna e riuscivo a sfornare qualche pezzo intelligente e per il lavoro di un unico pomeriggio incassavo cinque corone.

Mi staccai dalla finestra e avvicinatomi alla sedia dov'era il catino mi inumidii leggermente i calzoni lustri al ginocchio per farli sembrare un po' più neri e decenti. Poi m'infilai in tasca, come al solito, carta e matita e uscii. Scesi le scale piano piano senza far rumore per non destare l'attenzione della padrona di casa. Già da qualche giorno la pigione era scaduta e io non ero in grado di pagare.

Erano le nove. Voci e fragore di carri empivano l'aria; era un enorme coro mattutino inframmezzato dai passi della gente e dallo schioccare delle fruste. Quel movimento rumoroso finì per svegliarmi del tutto e per darmi a poco a poco una certa sensazione di contentezza. Nessuna idea più lontana da me che quella di fare una passeggiata all'aria fresca del mattino: i miei polmoni non avevano bisogno d'aria. Ero robusto come un gigante e con le spalle avrei potuto fermare un carro. Una strana sensazione, un senso di gaia spensieratezza si era impadronito di me. Presi a osservare i passanti, lessi i manifesti sui muri delle case, colsi un'occhiata gettatami da una carrozza del tranvai che passava, aprii i sensi a ogni inezia, a tutti i piccoli casi che attraversavano la mia strada e scomparivano.

Avessi avuto in una giornata così serena qualche cosa da mangiare! Come mi sentivo soggiogato dal mattino luminoso! Fuori di me dalla contentezza parlottavo da solo... e non sapevo perché. Davanti a un macellaio c'era una donna con la sporta al braccio: stava chiedendosi se doveva acquistare le salsicce per la cena. Quando le passai accanto mi guardò: aveva un unico dente. Nervoso e impressionabile com'ero in quei giorni, provai, alla vista di quella donna, un'immediata sensazione di disgusto: quel dentone giallo sembrava un mignolo ritto sulla mascella... e lo sguardo che ella mi lanciò era ancora tutto pregno di salsiccia. Perdetti subito l'appetito e mi venne la nausea. Arrivato al mercato coperto, presso la caserma dei pompieri, mi accostai alla fontana e bevvi un sorso d'acqua. Alzai gli occhi: l'orologio della chiesa del Redentore segnava le dieci.

Senza pensieri continuai a gironzolare per le strade fermandomi senza alcun bisogno alle cantonate, infilando qua e là una traversa senza alcun motivo. Tutto mi era indifferente e mi abbandonavo al gaio mattino lasciandomi portare e spingere tra quell'umanità felice. Il cielo era sereno; senza una nube e senza ombre era il mio cuore.

Da dieci minuti avevo davanti a me un vecchio che

camminava zoppicando. Portava un fagotto e nel muoversi ondeggiava continuamente. Arrancava con forza per portarsi avanti in fretta. Lo udivo ansimare per lo sforzo e allora mi venne l'idea che quel fagotto potevo portarglielo io. Ma non mi affrettai a raggiungerlo. Più su nella Graense incontrai Hans Pauli che mi salutò passando. Perché aveva tanta fretta? Non avevo alcuna intenzione di chiedergli una corona a prestito. Oltre a ciò intendevo rimandargli al più presto la coperta che mi aveva prestato alcune settimane prima. Appena mi fossi trovato un po' in buone acque, non volevo essere debitore di una coperta a nessuno. Quel giorno stesso avrei forse incominciato un articolo sui delitti dell'avvenire o sul libero arbitrio o su qualcos'altro, sempre beninteso su un argomento interessante per il quale potevo ricevere almeno dieci corone... e quest'idea mi entusiasmò talmente che decisi d'incominciare subito. Avevo il cervello in fermento. Mi sarei cercato un posticino tranquillo nel parco del Castello e non avrei smesso prima di arrivare alla fine.

Ma il vecchio storpio arrancava ancora davanti a me, e io cominciavo a irritarmi. Il suo cammino mi sembrava senza fine. Forse andava dove andavo io e l'avrei avuto davanti a me per tutta la strada. Nella mia eccitazione mi sembrava che a ogni traversa egli avesse un momento di esitazione come per vedere quale direzione avrei preso io, dopo di che agitava il fagotto e proseguiva zoppicando faticosamente e cercando di conservare il suo vantaggio. Io me lo vedevo sempre davanti, così malconcio e traballante, finché m'infuriai: sentivo che quell'individuo mi sciupava la serenità e con la sua bruttezza m'insudiciava la bella e limpida mattinata. Pareva un mostruoso insetto strisciante che a qualunque costo volesse conquistarsi un posto nel mondo e avere tutto il marciapiede per sé. Infine non ne potei più. Al culmine della salita mi fermai davanti a una vetrina per dargli la possibilità di sparire. Dopo qualche minuto mi rimisi in cammino ed eccolo ancora davanti a me!... Aveva aspettato anche lui. Furibondo, senza riflettere, lo raggiunsi con quattro salti e gli battei la spalla.

Egli si fermò e per alcuni istanti ci guardammo in faccia.

«Due soldi per il latte!» disse infine reclinando la testa su una spalla.

Bel risultato! Mi ficcai le mani in tasca e risposi: «Già, per il latte. Oggi c'è miseria per tutti, e non so fino a che punto ne abbiate bisogno».

«Non mangio da ieri, a Drammen» disse l'uomo.

«Siete operaio?».

«Sì, ciabattino».

«Come dite?».

«Ciabattino. Ma so fare anche scarpe».

«Allora è un'altra cosa» soggiunsi. «Se potete aspettare qualche minuto, posso procurarvi un po' di denaro, qualche centesimo».

E infilai in fretta la Pilestraede dove a un secondo piano abitava uno che faceva prestiti su pegno. Da lui non ero mai stato. Giù nel vestibolo mi tolsi rapidamente il panciotto, ne feci un rotolo e me lo misi sotto il braccio. Poi salii le scale e bussai. Feci un inchino e buttai il panciotto sul banco.

«Una corona e mezza» disse l'uomo.

«Va bene, grazie» risposi. «Se non mi fosse troppo stretto, non lo impegnerei».

Presi il denaro, la polizza di pegno e uscii. Quella del panciotto era stata del resto un'ottima idea. Mi sarebbe rimasto il denaro per una colazione succulenta e prima di sera la mia dissertazione sui delitti dell'avvenire doveva essere bell'e pronta. La vita mi parve già più sopportabile. Ritornai dal vecchio per liberarmene.

«Ecco qua» dissi. «Sono contento che vi siate rivolto prima di tutti a me».

Quello prese il denaro e incominciò a squadrarmi. Che cosa gli passava per la mente? Avevo l'impressione che fissasse specialmente le ginocchia dei miei calzoni. Una bella sfacciataggine! Credeva che fossi veramente povero come parevo? Non avevo, per così dire, in lavorazione un articolo da dieci corone? In genere, non temevo affatto l'avvenire, disponevo di molte risorse. Che cosa importava dunque a quell'estraneo se in una giornata così stupenda mi concedevo il lusso di offrire un'elemosina? Le sue occhiate mi fecero perdere le staffe, sicché decisi di dirgli il fatto suo prima di allontanarmi. Alzai le spalle ed esclamai: «Caro signore, voi avete preso la brutta abitudine di guardare le ginocchia a chi vi offre mezza corona».

Quello reclinò la testa e spalancò la bocca. Qualche cosa doveva mulinare nel suo cervello di mendicante: certamente pensava che volessi pigliarlo in giro e fece l'atto di restituirmi il denaro.

Io pestai i piedi e mi misi a imprecare. Se lo tenesse, quel denaro! Immaginava forse che mi fossi preso tutte quelle seccature per niente? A guardar bene, io gli ero forse debitore di quella corona. Sono di quelli, io, che si ricordano dei vecchi debiti. Ed egli si trovava davanti a una persona onesta, onesta fino alla punta dei capelli. Per farla breve, quel denaro era suo... «No, no, niente grazie, è stato un piacere per me. Addio!».

E me ne andai. Finalmente mi ero liberato di quella piaga dolorosa e potevo proseguire indisturbato. Ridiscesi la Pilestraede e mi fermai davanti a un negozio di commestibili. La vetrina era piena zeppa di cose da mangiare. Decisi di entrare e di comperare qualche cosa.

«Un pezzo di formaggio e un pane bianco» esclamai buttando sul banco la mia mezza corona.

«Pane e formaggio per tutto l'importo?» domandò la padrona ironicamente senza guardarmi.

«Sì, per tutti i cinquanta centesimi» risposi senza scompormi.

Avuta la mia roba augurai con la massima gentilezza il buon giorno a quella vecchia grassa e mi diressi in fretta al parco attraverso il colle del Castello. Trovai una panchina solitaria e mi buttai voracemente sulle provviste. Ciò mi fece bene. Un pasto così abbondante non l'avevo più fatto da parecchio tempo, sicché provai a mano a mano quella sazia tranquillità che si prova dopo un gran piangere. Sentii crescere enormemente il mio coraggio. Ora non mi accontentavo di scrivere su un argomento così semplice e ovvio come i delitti dell'avvenire. Argomento, del resto, che non presentava enigmi: bastava un'occhiata alla storia e tutto era chiaro. Ora mi sentivo capace di affrontare ben altri compiti. Ero talmente di buon umore che avrei saputo risolvere quesiti assai più difficili; perciò mi decisi per un saggio in tre parti sulla conoscenza filosofica. Certo mi si sarebbe presentata l'occasione di far la festa ad alcuni sofismi kantiani... Ma mentre stavo per prendere l'occorrente per scrivere e mettermi al lavoro, mi accorsi che non avevo più la matita. L'avevo dimenticata nel panciotto impegnato.

Dio, come tutto sembrava accanirsi contro di me! Imprecai, mi alzai e mi misi a correre rabbiosamente per il parco. Vi regnava un grande silenzio. Lontano, presso il Padiglione della Regina, un paio di ragazze spingevano le carrozzelle coi bambini. Tranne quelle non si vedeva anima viva. Io passeggiavo furibondo in su e in giù davanti alla mia panchina. Strano: tutto congiurava contro di me. Un lungo articolo in tre parti doveva andar perduto per la ridicola circostanza che non avevo in tasca un mozzicone di matita da dieci centesimi? Era forse il caso che ritornassi nella Pilestraede per riavere la mia matita? Mi sarebbe rimasto ancora tempo per scrivere un buon tratto prima che la gente venisse a passeggiare nel parco e a disturbarmi. D'altro canto, molto dipendeva da quella dissertazione sulla conoscenza filosofica! Forse anche la felicità di molte persone. Chi può dirlo? Dicevo tra me che quel mio scritto poteva aiutare molti giovani. Ripensandoci non avrei però attaccato Kant. Si poteva farne a meno. Senza parere potevo benissimo evitare la questione del tempo e dello spazio. Ma quanto a Renan, il vecchio pastore Renan... non garantivo nulla. Quel che contava soprattutto, però, era scrivere un articolo così e così, di tante colonne: per poter pagare la pigione. La faccia scura che la padrona faceva ogni mattina, se m'incontrava per le scale, mi perseguitava tutta la giornata e s'insinuava persino nei miei pochi momenti sereni quando i pensieri tetri mi lasciavano in pace. Era ora di finirla. M'incamminai in fretta per andar a ritirare la matita.

Ai piedi del colle del Castello raggiunsi due donne e passando loro accanto sfiorai il braccio a una di esse. Alzai lo sguardo e incontrai un viso pienotto un po' pallido. Ella arrossì e si fece stranamente bella. Chi sa perché? Forse per una parola detta da un passante. Forse anche soltanto per un lieve pensiero che le era balenato. O perché le avevo toccato il braccio? Il suo seno florido ansava... e la sua mano strinse l'ombrellino. Che cosa pensava?

Mi fermai e la lasciai passare. In quel momento non sarei stato capace di proseguire, tanto mi pareva strana quella faccenda. Ero eccitato, irritato e seccato per via della matita: avevo anche mangiato troppo a stomaco vuoto. Ed ecco che un ghiribizzo improvviso diede una spinta ai miei pensieri: mi venne una strana voglia di far paura a quella giovane, di seguirla, di farla in qualche modo indispettire. La raggiunsi ancora, passai oltre, mi voltai di scatto e la guardai negli occhi... E, come in un baleno, mi si affacciò alla mente un nome che non avevo mai udito, un nome dal suono nervoso e scivolante: Ylajali. Quando mi fu abbastanza vicina, mi irrigidii e le dissi con voce ferma: «Signorina, state perdendo il libro».

Pronunciando queste parole sentivo il battito del mio cuore.

«Il libro?» fece lei verso la sua compagna, e passò oltre.

Fu uno stimolo per la mia cattiveria. Seguii le due donne ben sapendo di esservi indotto da uno stupido capriccio. Ma non potevo fare diversamente: la mia confusione improvvisa mi aveva preso la mano suggerendomi le idee più pazze e costringendomi a obbedire. Inutilmente andavo ripetendo che il mio contegno era idiota: facevo le smorfie più goffe dietro le spalle di quella ragazza, tossivo come un matto e le passavo vicino. Proseguendo lentamente, sempre con qualche passo di vantaggio, mi sentivo i suoi sguardi nella schiena e mi torcevo istintivamente dalla vergogna al pensiero di averla tormentata così; finché una strana sensazione mi filtrò a poco a poco nel sangue: mi pareva di essere lontano in tutt'altro luogo e quasi avvolto in una nebbia, mi pareva di non essere io quello che procedeva lì, sul selciato, a spalle curve.

Dopo qualche minuto la signorina raggiunse la libreria di Pascha. Io ero già fermo davanti alla prima vetrina. Mentre ella mi passava davanti, le tagliai la strada ripetendo: «Signorina, state perdendo il libro».

«Ma che libro mai?» esclamò impaurita. «Capisci tu di che libro parla?».

E si fermò. Io mi godevo crudelmente il suo imbarazzo. La perplessità nei suoi occhi mi deliziava. Il suo cervello non riusciva ad afferrare la mia breve frase disperata: ella non aveva nessun libro, neanche una pagina; e cercava nelle tasche, si guardava e riguardava le mani, si voltava a guardare la strada dietro di sé, sforzava al massimo il suo cervellino sensibile per comprendere di che libro andassi discorrendo. Impallidì, mutò più volte espressione, mentre io sentivo il suo respiro. Persino i bottoni del suo vestito pareva mi guardassero come una fila di occhi atterriti.

«Non dargli retta!» disse la sua compagna tirandola per il braccio. «È ubriaco. Non vedi che è ubriaco?».

Per quanto fossi assente in quei momenti, in preda a influssi imponderabili, osservavo tutto quanto avevo intorno: un grosso cane bruno attraversava la strada verso il Giardino dello studente e giù al Tivoli, e aveva un sottile collare d'argento; un po' più in là una finestra si apriva al secondo piano, una ragazza si sporgeva a braccia nude e si metteva a strofinare i vetri dal di fuori. Nulla sfuggiva alla mia attenzione. Avevo la mente libera e sveglia. Ogni cosa entrava in me con una chiarezza trasparente come se intorno si fosse accesa improvvisamente una gran luce. Le due ragazze davanti a me avevano entrambe un'ala d'uccello azzurro sul cappello e un nastrino di seta scozzese intorno al collo. Sorelle dunque, pensai.

Esse mi scansarono, proseguirono e si fermarono chiacchierando davanti al negozio di musica di Cisler. Anch'io mi ero fermato. Dopo un po' ritornarono sui loro passi, mi passarono davanti, rifecero la strada già percorsa, piegarono l'angolo della via dell'Università e presero diritto verso la piazza Sankt Olav. Tutto quel tempo fui loro alle calcagna. Esse si volsero ancora una volta e mi lanciarono uno sguardo tra curioso e impaurito, ma non vidi alcun dispetto sul loro viso né ciglia aggrottate. Quella loro sopportazione mi empì di vergogna e mi fece abbassare gli occhi. Non volevo seccarle più. Volevo seguirle ancora soltanto con lo sguardo... per pura gratitudine, e non perderle di vista finché fossero entrate in una casa e scomparse.

Davanti al numero 2, una grande casa di quattro piani, si volsero ancora... ed entrarono. Mi appoggiai a un fanale accanto alla fontana zampillante e ascoltai il rumore dei loro passi su per la scala, che si spense poi al secondo piano. Allora mi stacco dal fanale, avanzo di qualche passo e guardo in alto. Ed ecco un fatto curioso; lassù le tendine si muovono, una finestra si apre, una testa si sporge e due occhi strani mi guardano. Ylajali! dico a mezza voce e mi sento le vampe al viso. Perché non invoca aiuto? Perché non urta uno dei vasi da fiori di modo che mi cada sulla testa? Perché non manda giù nessuno a cacciarmi via? Tutti e due ci guardiamo negli occhi, senza muoverci. Così passa un minuto. Pensieri vanno e vengono tra la finestra e la strada senza che alcuno pronunci una parola. Ella si volta e una scossa mi attraversa come un guizzo, come una leggera percossa: vedo due spalle che si voltano, una schiena che scompare.

Quel distacco leggero dalla finestra, il movimento intenzionale delle spalle era come un cenno verso di me. Il mio sangue sentì quel tenero saluto e una gioia singolare m'invase. Mi voltai e scesi per la via. Non osavo guardarmi indietro e non sapevo se lei si fosse riaffacciata. Quanto più ci pensavo, tanto più diventavo nervoso, irrequieto. Probabilmente era ancora alla finestra e seguiva tutti i miei movimenti. Insopportabile sentirsi osservati così alle spalle! Mi feci forza alla meglio e continuai per la mia strada. Muovevo le gambe a scatti, il mio passo era incerto appunto perché voleva essere franco. E per darmi un contegno tranquillo e indifferente facevo ruotare le braccia come un idiota, sputavo per terra o tenevo il naso in aria. Tutto inutile. Sentivo sempre nella schiena quegli occhi che m'inseguivano ed ero tutto percorso da brividi gelati. Infine trovai scampo in una traversa da cui raggiunsi la Pilestraede per ritirare la matita.

La ricuperai senza difficoltà. L'uomo mi recò personalmente il panciotto e m'invitò a frugarvi. Vi trovai anche un paio di polizze di pegno che mi misi in tasca e ringraziai quel brav'uomo della sua premura. Mi riusciva sempre più simpatico e a quel punto pensai che era bene fargli buona impressione. Mi ero già avviato per uscire, allorché mi rivolsi e mi appoggiai al banco come se avessi dimenticato qualche cosa. Mi pareva di dovergli una spiegazione, sicché borbottai qualche parola per richiamare la sua attenzione e alzai la mano brandendo la piccola consumata matita.

Non mi sarebbe mai passato per la mente, dissi, di fare tanta strada per una miserabile matita, ma quella era una matita particolare, una matita speciale. Per quanto quel mozzicone potesse parere insignificante, era merito suo se ora avevo un posto nel mondo, se ero diventato quello che ero.

Non aggiunsi altro. L'uomo intanto era venuto fino al banco.

«Che cosa mi tocca sentire!» esclamò guardandomi con curiosità.

Con quella matita, continuai a sangue freddo, avevo scritto il mio trattato sulla conoscenza filosofica in tre volumi. Di questa opera non aveva mai sentito parlare?

Oh certo, gli pareva di averne udito almeno il nome, il titolo.

Già, continuai, quella era opera mia. Perciò non doveva stupirsi se tenevo tanto a riavere quel misero moncone di matita. Per me aveva un valore immenso: era quasi una cosa viva, quasi una piccola creatura umana. D'altro canto gli ero molto grato della benevolenza e non me ne sarei mai dimenticato: proprio così, non avrei dimenticato mai, parola d'onore. Se lo meritava. Arrivederci.

Andai verso la porta, tronfio e solenne, come se fossi stato in grado di procurare ad altri chi sa quale posizione. Il prestatore ben educato s'inchinò due volte e sulla soglia io mi volsi ancora e ripetei: «Arrivederci».

Per le scale incontrai una donna con una sacca da viaggio. Ella si trasse da parte timidamente per farmi largo, poiché scendevo con l'aria orgogliosa d'un Grande di Spagna. Istintivamente misi la mano in tasca per darle qualche cosa. Non trovando nulla mi sentii impacciato e tirai diritto piuttosto mogio. Poco dopo la sentii bussare alla porta dell'ufficio prestiti. C'era davanti a quella porta una grata di ferro e io ne riconobbi subito il suono tintinnante. Il sole era alto nel cielo, dovevano essere circa le dodici. La città era animata. Era quasi l'ora del passeggio. La via Karl Johan era piena di gente che si salutava e rideva. Io strinsi le braccia contro i fianchi, cercai di farmi piccino e sgattaiolai inosservato davanti ad alcuni conoscenti fermi all'angolo dell'Università a godersi lo spettacolo della passeggiata. Immerso nei miei pensieri risalii il colle del Castello.

Com'erano leggeri e sereni tutti quegli uomini che incontravo, come dondolavano la testa spensieratamente e attraversavano danzando la vita come fosse una sala da ballo! Non un occhio affannato, non una spalla curva sotto un peso, forse neanche un pensiero angoscioso, neanche una pena segreta nel cuore di tutta quella gente allegra. E io passavo accanto a loro, giovane appena adulto, e avevo già dimenticato il volto della felicità! Mi aggrappavo a questi pensieri e riflettevo sull'ingiustizia di cui ero vittima. Perché quegli ultimi mesi mi erano stati tanto avversi? Non mi riconoscevo più: prima ero così sereno e ora mi assediavano da ogni parte le difficoltà più singolari. Non potevo mettermi a sedere su una panchina, non potevo fare un passo senza essere aggredito da piccole e futili vicende, da miserevoli inezie che s'insinuavano nel mio pensiero e disperdevano ai quattro venti le mie energie. Un cane che passava di corsa, una rosa gialla all'occhiello di un signore facevano vibrare i miei pensieri e mi tenevano occupato per molto tempo. Di che cosa soffrivo? Il buon Dio aveva forse puntato il dito contro di me? Perché proprio contro di me? Perché non contro un uomo nell'America del Sud? Perché non contro di lui? A ripensarci capivo sempre meno perché proprio io dovessi essere scelto a far da cavia per la grazia capricciosa di Dio. Certo era un modo di procedere piuttosto strano: scavalcare tutto un mondo per acciuffare me. Oltre a me c'era al mondo anche l'antiquario di libri Pascha e il segretario della Navigazione, Hennechen.

Camminando pensavo e ripensavo a questa faccenda e non ne venivo a capo. Trovavo le più gravi obiezioni all'arbitrio del Signore di far scontare proprio a me i peccati di tutti gli altri. Già da un pezzo avevo trovato una panchina libera e mi ero seduto... e ancora studiavo quel problema che m'impediva di pensare ad altro. Fin da quel giorno di maggio in cui erano incominciate le mie traversie avevo osservato che la mia fiacchezza andava aumentando, lenta ma costante, quasi fossi ormai troppo debole per dirigermi dove volevo. Uno sciame di piccoli insetti feroci era entrato nel mio cuore e l'aveva svuotato. E se Dio avesse deciso di annientare proprio me? Mi alzai e mi misi a correre su e giù davanti alla panchina.

Ero afflitto in tutto il corpo da dolori indicibili. Persino le braccia mi facevano male. Riuscivo appena a sostenerle. Mi sentivo anche appesantito dal mio ultimo pasto troppo abbondante. Ero troppo sazio e sconvolto. Senza sollevare lo sguardo passeggiavo avanti e indietro. Le persone che andavano e venivano scivolavano via come ombre nella nebbia. A un certo punto due uomini sedettero sulla mia panchina, accesero i sigari e si misero a discorrere ad alta voce. M'infuriai e fui lì lì per investirli, ma preferii allontanarmi fino all'altro capo del parco dove trovai un'altra panchina e mi misi a sedere.

Il pensiero di Dio riprese a tormentarmi. Pensavo che fosse ingiusto da parte sua mettermi i bastoni tra le ruote ogni volta che stavo cercando un posto, tanto più che non chiedevo nulla tranne il pane quotidiano. Ogni volta, dopo un periodo di fame piuttosto lungo, era come se il cervello mi scivolasse fuori dalla testa fino a lasciarla vuota: la sentivo diventare sempre più leggera tanto da non avere più peso sulle mie spalle, e i miei pensieri vagavano lontano. Mi pareva che i miei occhi si fissassero spalancati su tutti quelli che incontravo.

Seduto su quella panchina riflettevo a tutte queste cose e la mia amarezza contro Dio per le sue angherie andava via via crescendo. Se credeva di accostarsi a me e di rendermi migliore torturandomi continuamente e seminando sulla mia strada una sciagura dopo l'altra, s'ingannava un pochino: glielo potevo dire io. E alzai gli occhi al cielo quasi piangendo dallo sdegno e glielo dissi silenziosamente una volta per sempre.

Mi risonavano in mente echi di ciò che avevo imparato a scuola da ragazzo, mi sentivo nelle orecchie il linguaggio solenne della Bibbia e parlavo sommessamente fra me e me reclinando ironicamente la testa su una spalla. Perché mi preoccupavo di ciò che dovevo mangiare, di ciò che dovevo bere, del modo di vestire questo miserabile sacco di vermi che chiamano corpo mortale? Non ci aveva forse già pensato il mio Padre celeste come per i passeri del cielo, e non mi aveva forse fatto la grazia di indicare con la Sua mano, me, Suo umile servo? Dio aveva messo un dito nella rete dei miei nervi portando delicatamente un po' di disordine fra tutti quei fili. Poi aveva ritirato il dito e, guarda un po', vi erano rimaste attaccate alcune piccole fibre, pezzettini di nervi, di radici. E quel dito aveva lasciato anche il buco aperto, ed era il dito di Dio e a quel dito erano dovute anche le ferite del mio cervello. Ma dopo avermi toccato col dito Dio mi lasciò, non mi toccò più e non mi fece più alcun male; mi lasciò andare in pace col buco aperto. E nulla di male mi verrà da Lui, da Lui che è il Signore per tutta l'eternità...

Dal Giardino dello studente il vento mi portava qualche nota di musica. Erano dunque già le due passate. Levai di tasca l'occorrente per scrivere... forse avrei potuto lavorare... e mi trovai in mano l'abbonamento del barbiere. Lo spiegai, contai: ancora sei volte. «Sia lodato Iddio!» esclamai istintivamente. Dunque potevo farmi radere per qualche settimana ancora e presentarmi decentemente. La coscienza poi di quella piccola proprietà che mi era ancora rimasta mi mise subito di buon umore. Lisciai accuratamente l'abbonamento e me lo rimisi in tasca.

Ma non riuscivo a scrivere. Dopo un paio di righe, per quanti sforzi facessi, non mi veniva nessuna idea. I miei pensieri vagavano altrove e non riuscivo a raccogliermi. Tutto m'impressionava e mi distraeva. Mosche e zanzare si posavano sulla carta e mi disturbavano. Soffiavo per cacciarle via, soffiavo, sempre più forte, ma invano. Le bestiole s'impuntavano, resistevano con forza fino a curvare le zampine sottili. Impossibile smuoverle. Trovavano il punto a cui aggrapparsi, puntavano le zampe contro una virgola o un'ineguaglianza della carta e vi si sostenevano incrollabili finché reputavano opportuno prendere il largo di loro iniziativa.

Per un po' mi divertii a occuparmi di quei mostriciattoli. Accavallai le gambe e stetti a osservarli pacatamente, finché il suono di un clarinetto dal Giardino dello studente, laggiù, mi raggiunse e diede una scossa ai miei pensieri. Seccato di non poter comporre il mio articolo, mi misi in tasca carta e matita e mi appoggiai alla spalliera della panchina. In quel momento la mia mente era così lucida che potevo fare i ragionamenti più sottili senza stancarmi. Mentre, semisdraiato, facevo scorrere lo sguardo lungo il petto fino alle gambe osservai i piccoli scatti del mio piede a ogni pulsazione. Mi rizzai, mi guardai i piedi e provai una sensazione fantastica, ignota: un fremito strano, sottile, mi vibrava nei nervi come un brivido di luce. Guardandomi le scarpe ebbi l'impressione di aver ritrovato dei cari conoscenti e di aver riconquistato una parte di me stesso che mi era stata sottratta. Un senso di riconoscimento mi tremò nell'anima, gli occhi mi si empirono di lagrime e le mie scarpe mandarono quasi un sommesso bisbiglio. Debolezza! dissi aspramente fra me e, stringendo i pugni, ripetei: Debolezza. Cominciai a infuriarmi contro me stesso per quelle sensazioni ridicole da cui mi ero lasciato consapevolmente sopraffare. Parlavo con asprezza, e stringevo le palpebre con forza per liberarmi dalle lagrime. Quasi non avessi mai visto le mie scarpe mi accinsi a studiarne l'aspetto, la mimica al movimento del piede, la forma, la tomaia lacera, e feci la scoperta che le loro pieghe e le cuciture bianche avevano un'espressione, una fisionomia. Un po' della mia natura si era comunicata a quelle scarpe: esse mi impressionavano come fossero state un'ombra del mio io, una parte viva di me stesso...

Rimasi così un bel po', forse un'ora intera, preso da queste sensazioni. Infine arrivò un vecchietto che sedette all'altro capo della panchina. E ansava faticosamente, forse per la camminata, e andava ripetendo: «Già, già, già, sicuro, già, già!».

Udendo quella voce ebbi l'impressione che un turbine mi attraversasse il cervello. Smisi di guardare le scarpe, mi parve quasi che la confusione che mi aveva sconvolto fosse una cosa di tempi lontani, che risalisse a uno o due anni addietro... e fosse già sul punto di spegnersi nella mia memoria. E incominciai a osservare il vecchio.

Che m'importava di costui? Niente, niente affatto. Notai soltanto che aveva in mano un giornale, un vecchio numero con la pagina pubblicitaria all'esterno. Pareva vi avesse involto qualche cosa. Incuriosito, non riuscivo a staccare lo sguardo da quel giornale. Mi venne l'idea folle che potesse essere un giornale straordinario, meraviglioso, unico nel suo genere. E poiché la mia curiosità andava crescendo, incominciai a dimenarmi sulla panchina. Potevano essere documenti, atti pericolosi rubati da un archivio, e mi balenò l'idea, non so, di un trattato segreto, di una congiura.

Il vecchio seguiva i suoi pensieri. Perché non portava il giornale, come fanno tutti gli altri, con la testata all'esterno? Che mistero era quello? Aveva l'aria di non voler mollare quel pacchetto per nessuna cosa al mondo. Forse non osava neanche affidarlo alle proprie tasche. Avrei giurato che sotto ci covava qualche cosa.

Mi concentrai. Il fatto che fosse impossibile risolvere quell'enigma misterioso mi faceva impazzire dalla curiosità. Mi frugai nelle tasche per dare qualcosa a quell'uomo e attaccar discorso, e mi trovai fra le mani l'abbonamento del barbiere, ma lo nascosi subito. A un tratto decisi di fare lo sfrontato e battendo sulla tasca esterna della giacca dissi: «Posso offrirvi una sigaretta?».

«No, grazie». L'uomo non fumava, aveva dovuto smettere per risparmiarsi gli occhi. Era quasi cieco.

«Tante grazie».

«Soffrite agli occhi da molto tempo? Forse non potete leggere? Nemmeno il giornale?».

«Nemmeno il giornale, purtroppo».

Il vecchio si volse verso di me. I suoi occhi sembravano ricoperti da una pellicina sottile che dava loro un aspetto vitreo: lo sguardo era bianco e faceva un'impressione disgustosa.

«Siete forestiero?» domandò.

«Sì. E non riuscite neanche a leggere il titolo del giornale che tenete in mano?».

«A malapena». Del resto aveva capito subito che ero forestiero, dalla cadenza delle parole. Per lui era facile perché aveva l'udito acuto. Di notte mentre tutti dormivano egli sentiva il respiro delle persone nella stanza attigua. «A proposito... dove abitate?».

Immediatamente mi trovai in testa una bugia bell'e pronta. Mentendo istintivamente, senza intenzione, senza secondi fini, risposi: «In piazza Sankt Olav, numero 2».

«Davvero?». Quell'uomo conosceva tutte le pietre del lastrico di quella piazza. Una fontana zampillante, alcuni fanali a gas, un paio d'alberi, ricordava bene... «A che numero abitate?».

Per finirla mi alzai, spinto all'estremo dalla mia idea fissa circa il giornale. Bisognava chiarire il mistero a qualunque costo.

«Se non potete leggere il giornale, perché allora...».

«Al numero 2, avete detto, mi pare» continuò l'altro senza notare la mia inquietudine. «A suo tempo conoscevo tutti gli inquilini del numero 2. Chi è il vostro padrone di casa?».

Inventai un nome lì per lì per liquidare la questione e lo buttai fuori per liberarmi da quella tortura.

«Happolati» dissi.
«Già, Happolati» fece quello ripetendo esattamente il nome.
Lo guardai stupefatto: era serio serio e pensieroso. Avevo appena pronunciato lo stupido nome che mi era venuto in mente, e quello si accontentava come se l'avesse già udito. Intanto aveva deposto il pacchetto sulla panchina e io mi sentivo vibrare i nervi dalla curiosità. Osservai che il giornale aveva qualche macchia di unto.
«Il vostro padrone è marinaio, vero?» domandò il vecchio. Nella sua voce non c'era nemmeno una punta di ironia. «Mi pare, se non erro, che fosse marinaio».
«Marinaio? Scusate, quello che conoscete voi dev'essere il fratello. Quello che dico io è l'agente J.A. Happolati».
Così credevo di liberarmene. L'altro invece accettò volentieri la conversazione.
«Ho sentito dire che è un brav'uomo» disse, quasi allungando le antenne.
«Oh, è un uomo astuto» risposi. «Ottimo commerciante, testa fina. Fa il rappresentante di non so quante cose: mirtillo rosso in Cina, piume e piumini in Russia, pelli, cellulosa, inchiostri...».
«Perbacco!» m'interruppe il vecchio con molta vivacità.
La cosa incominciava a diventare interessante. Mi lasciai prendere dalla situazione e cominciai a raccontare una menzogna dietro l'altra. Mi rimisi a sedere, dimenticai il giornale con tutti gli strani documenti, m'infervorai e gli troncai la parola sulle labbra. La credulità del vecchietto mi faceva ardito e disposto a seppellirlo sotto un cumulo di bugie.
Non aveva sentito parlare del libro da messa elettrico che Happolati aveva inventato?
«Come?... Un libro elett...».
«Proprio, con lettere elettriche che luccicano al buio. Una cosa stupefacente. Un movimento di mi-

lioni, fonderie e stamperie in piena attività, legioni di meccanici, addetti al lavoro, settecento, mi pare di aver sentito dire».

«Ecco, proprio come dicevo io» soggiunse l'altro e si fermò lì. Mi credeva parola per parola e non si lasciava sconcertare. Ne rimasi un po' deluso, perché avevo sperato di stordirlo.

Inventai ancora disperatamente qualche menzogna in un vero e proprio gioco d'azzardo e accennai misteriosamente che Happolati era stato per dieci anni ministro in Persia. «Avete un'idea di che cosa voglia dire fare il ministro in Persia?» domandai. Era più che essere re nel nostro paese, quasi come dire un sultano. Sapeva che cosa fosse un sultano? Ma Happolati se l'era cavata benissimo senza commettere un solo errore. E parlai di Ylajali, sua figlia, una fata, una principessa che aveva trecento schiave e dormiva su un letto di rose gialle. La più bella creatura che avessi mai visto. «Dio mi castighi se ho mai visto in vita mia una ragazza così bella!».

«Davvero? Era tanto bella?» osservò il vecchio con aria assente, tenendo gli occhi bassi.

Se era bella! Era magnifica, stupenda, soave. Occhi come la seta, braccia come l'ambra! La sua occhiata era seducente come un bacio e quando mi chiamava, quella voce mi scendeva nel cuore come uno zampillo di vino. Perché non avrebbe dovuto essere così bella? Credeva forse che fosse una cassiera o un'impiegata dei pompieri? Era, per dirla schietta, una magnificenza celestiale, glielo garantivo io, una fiaba!

«Già, già» fece il vecchio un po' allocchito.

La sua calma mi annoiava. La mia stessa voce mi aveva messo le ali e discorrevo con molta serietà. Nella mente non mi era rimasto più nulla dei documenti rubati dall'archivio, del trattato con qualche potenza estera. Il pacchetto piatto era sulla panchina tra me e lui e ora non avevo nessunissima voglia di esaminarne il contenuto. Ero come ossessionato dal mio racconto: visioni meravigliose mi passavano davanti agli occhi, il sangue mi montava alla testa e sparavo balle a tutto andare.

L'uomo si mosse e alzandosi mi domandò, per non troncare troppo bruscamente il colloquio: «Dicono che Happolati possieda ricchezze immense, vero?».

Come mai quel vecchio cieco e antipatico osava pronunciare quel nome strano, il nome che avevo inventato io, quasi fosse un nome comune di quelli che si leggono sulle insegne delle botteghe? E non s'impappinava mai, non si mangiava neanche una sillaba. Il nome gli era entrato nel cervello e vi aveva messo radici. Ne ero seccato e in fondo incominciai a provare una certa collera contro quell'uomo che non si scomponeva mai, che non diffidava di nulla.

«Non lo so» risposi bruscamente. «Non ne so proprio niente. Ricordatevi però che si chiama Johan Arendt Happolati... a giudicare dalle iniziali».

«Johan Arendt Happolati» ripeté l'altro, meravigliato della mia agitazione.

«Avreste dovuto vedere sua moglie!» dissi infuriato. «Una donna grassa così... Come? non credete che sia stata molto grassa?».

«Sì, sì, ci credo, con un uomo simile...».

Il vecchio rispondeva placido e mansueto a ogni mia uscita e cercava le parole quasi temesse di dire qualcosa che potesse irritarmi.

«Corpo di mille diavoli, credete forse che io stia qui a caricarvi di bugie?» gridai fuori di me. «Voi forse non credete neanche che esista un uomo che si chiama Happolati! Una simile cattiveria non l'ho ancora trovata in un vecchio come voi. Che diavolo vi prende? Magari avete pensato che io sia un poveraccio con indosso l'abito della festa e senza un astuccio di sigarette in tasca. Un trattamento simile non mi è mai capitato, ve lo garantisco io, e non sono disposto a tollerarlo, per Dio, né da voi né da nessun altro. E tanto basta!».

Il vecchio si era alzato. A bocca aperta ascoltò il mio sfogo e, quando ebbi finito, prese il pacchettino e si allontanò quasi di corsa attraverso il parco coi suoi passettini da vecchio.

Io restai seduto a guardare quelle spalle che si allontanavano e sembravano sempre più curve. Non so come fosse, ma ebbi l'impressione di non aver mai visto spalle più disoneste e viziose di quelle e mi pentii di non aver ingiuriato quell'uomo prima che si allontanasse...

Il giorno declinava, il sole calava, dagli alberi intorno veniva un leggero stormire di fronde e le bambinaie raccolte in crocchio nella piazzetta dei giochi accanto all'altalena iniziavano ad avviarsi verso casa con le carrozzine. Ero molto calmo e mi sentivo bene. Placata a poco a poco la mia eccitazione, incominciai ad afflosciarmi, ad aver sonno... Avevo ingoiato troppo pane, ora ne sentivo gli effetti. Di ottimo umore, mi appoggiai alla spalliera, chiusi gli occhi e sonnecchiai. Stavo per addormentarmi profondamente quando un custode del parco mi posò una mano sulla spalla e disse: «Non è permesso dormire qui».

«Già» replicai e mi alzai. Subito mi si riaffacciò alla mente tutta la mia miseria. Dovevo pur mettermi a fare qualche cosa. Nella ricerca di un posto non avevo fortuna. Le raccomandazioni di cui potevo disporre e che avevo sempre presentate erano troppo invecchiate e poi erano state scritte da persone troppo poco note. Non potevano servire. Oltre a ciò i continui rifiuti durante tutta l'estate mi avevano scoraggiato. In ogni caso dovevo pagare la pigione. Dovevo trovare una via d'uscita. A tutto il resto avrei pensato dopo.

Senza volere mi ritrovai fra le mani la carta e la matita e scrissi inconsciamente in tutti gli angoli la data 1848. Oh, se un pensiero travolgente mi trascinasse con sé e mi suggerisse le parole! Altre volte mi era capitato, mi era capitato davvero e avevo già vissuto momenti uguali, ero stato capace di scrivere a lungo senza fatica: e per giunta avevo scritto cose bellissime!

Me ne sto dunque seduto sulla panchina e scrivo dozzine di volte il numero 1848 per diritto e per traverso, in tutti i modi possibili, aspettando che mi venga qualche idea presentabile. Uno sciame di pensieri fuggenti mi sfarfalla intorno al capo. La sensazione che il giorno sta per tramontare mi mette di cattivo umore e mi rende sentimentale. L'autunno è arrivato e ha già incominciato a preparare il letargo del mondo. Le mosche e tutte le altre bestiole hanno già ricevuto il colpo di grazia. Sugli alberi e sulla terra la vita guizzante combatte, frusciando e strisciando senza posa, l'ultima battaglia: non vuol perire. Tutti gli esseri dell'aria e della terra si agitano ancora una volta: si tratta di vita o di morte. Ancora una volta sporgono la testa gialla dai licheni, ancora una volta muovono le gambe, tastano l'aria con le lunghe antenne e crollano poi improvvisamente rovesciandosi col ventre in su. Ogni pianta ha preso un suo volto particolare sotto il soffio diafano e sottile dei primi freddi. Gli steli si rizzano pallidi verso il sole e le foglie cadute raschiano il terreno con il rumore sommesso di filugelli che si spostano. È tempo d'autunno, il carnevale della caducità. Il rosso delle rose s'infiamma e sopra il colore sanguigno si spande una luce stranamente smorta.

Io stesso mi sentivo come un verme in preda alla distruzione in quel mondo che s'intorpidiva nel proprio sfacelo. Balzai in piedi frustato dall'angoscia e feci alcuni salti scomposti. «No!» gridai stringendo i pugni. «Basta! Bisogna finirla!». E rimessomi a sedere strinsi la matita: bisognava incominciare seriamente un articolo. Era sciocco abbandonare la partita se dovevo ancora pagare la pigione.

Lentamente i miei pensieri si raccolsero. Approfittai dell'occasione e scrissi piano e ponderatamente alcune pagine come introduzione a qualche cosa: poteva essere l'inizio di varie cose, di una descrizione di viaggio, d'un articolo politico, a piacere. In ogni caso, era un inizio eccellente.

Poi mi diedi a cercare un argomento preciso da trattare, una persona o una cosa, era lo stesso. Ma non riuscivo a trovar nulla. In quello sforzo sterile i miei pensieri si accavallarono di nuovo disordinatamente e sentivo che il cervello non mi dava retta e la testa si vuotava, si vuotava, finché mi rimase sulle spalle vuota e leggera. Quel vuoto spalancato me lo sentivo in tutto il corpo, che era come scavato dalla testa ai piedi.

«Signore mio, Dio mio!» esclamai nel mio dolore. Ripetei più volte l'invocazione e tacqui.

Il vento stormiva tra gli alberi, un temporale si stava preparando. Restai seduto ancora un po' fissando il manoscritto, poi lo ripiegai e me lo misi lentamente in tasca. Faceva fresco e io non avevo più il panciotto. Mi abbottonai la giubba fino al collo e ficcai le mani nelle tasche. Poi mi alzai e m'incamminai.

Mi fosse riuscito ancora una volta, almeno questa volta! Già due volte la padrona di casa mi aveva chiesto con gli occhi di essere pagata e io avevo dovuto allontanarmi curvando le spalle con un saluto imbarazzato. Non potevo farlo più. Se quegli occhi mi guardavano un'altra volta, dovevo parlar chiaro e dar la disdetta. Così non si poteva andare avanti a lungo.

Al margine del parco rividi il vecchietto che la mia follia aveva messo in fuga. Il mistico pacchetto era aperto accanto a lui sulla panchina, pieno di cose da mangiare che egli stava gustando. Mi venne subito la voglia di rivolgergli la parola e di chiedergli perdono e scusa del mio comportamento. Ma la vista di quei cibi mi disgustò. Quelle vecchie dita che sembravano artigli rugosi erano affondate in modo ripugnante nei panini imbottiti e grassi. Mi sentii lo stomaco sconvolto e passai oltre senza parlare. Egli non mi riconobbe, i suoi occhi mi fissarono duri come il corno e il suo viso era senza espressione.

Andai avanti e per vecchia consuetudine mi fermai a ogni giornale che vedevo esposto per leggere le «offerte d'impiego» nella piccola pubblicità. Per fortuna trovai un'offerta adatta a me. Un commerciante nel Groenlandslere cercava un contabile per qualche ora ogni sera... Compenso da convenirsi. Presi nota dell'indirizzo e pregai tra me che Dio mi concedesse quel posto. Avrei preteso un compenso minore di qualunque altro. Cinquanta centesimi erano troppi? Forse bastavano quaranta. Per me era lo stesso.

Arrivato a casa trovai sulla tavola un biglietto della padrona che mi pregava di pagare la pigione anticipata o di andarmene appena possibile: non me ne avessi a male, le circostanze la costringevano ad agire così. «Cordialmente, signora Gundersen».

Scrissi al mercante Christie nel Groenlandslere, numero 31, per concorrere al posto e portai la lettera nella cassetta all'angolo della strada. Poi risalii nella mia stanza, sedetti sulla sedia a dondolo e mi abbandonai ai miei pensieri. Si faceva sempre più buio, e diventava sempre più difficile stare alzati fino a tardi.

La mattina seguente mi destai molto per tempo. Quando aprii gli occhi era piuttosto buio e solo dopo qualche tempo udii la pendola nell'appartamento di sotto, che sonava le cinque. Volevo continuare a dormire, ma non mi fu possibile; mi destavo invece sempre più e pensavo a mille cose.

A un tratto mi vengono in mente un paio di bei periodi adatti per un trafiletto o un racconto d'appendice, lampi d'ingegno abbaglianti e inauditi. Ripeto tra me le parole una dopo l'altra e mi sembrano ottime. Vi si aggiungono poi altri periodi e di botto mi trovo sveglio, mi alzo a sedere e prendo carta e matita dalla tavola dietro il letto. Come mi fosse scoppiata una vena! Una parola incalza l'altra, si allinea nell'ordine, si formano situazioni, le scene si susseguono, e azioni, botte e risposte mi sgorgano dal cervello, e mi sento invaso da un sentimento meraviglioso. Scrivo come un ossesso, una pagina dopo l'altra, senza un istante d'intervallo. I pensieri balenano così improvvisi e zampillano e scorrono così impetuosi che mi tocca lasciare da parte un monte di cose secondarie: per quanto mi affanni, non riesco a scrivere con sufficiente rapidità. Sono in preda a un turbine di idee di un'energia impetuosa: ogni parola che scrivo mi sale alle labbra spontaneamente. E quei momenti meravigliosi e benedetti durano e durano a lungo. Quando infine mi fermo e poso la matita mi trovo sulle ginocchia quindici, venti fogli pieni. Se quello che ho scritto ha qualche valore, sono salvo. Balzo dal letto e mi vesto. Il giorno si fa sempre più chiaro e luminoso. Posso quasi decifrare l'avviso della direzione dei Fari laggiù accanto alla porta, e presso la finestra c'è già luce a sufficienza per scrivere. Mi accingo immediatamente a rifare il manoscritto in bella copia.

Una strana nebbia di luci e colori fluttua da queste fantasie. Sbalordito dalla lieta sorpresa rileggo i bei periodi concatenati e riconosco che è quanto di meglio abbia letto finora. Sono stordito dalla felicità, la gioia mi insuperbisce straordinariamente e mi sento di nuovo a galla. Soppeso il manoscritto sulla mano e dopo un breve calcolo lo valuto senz'altro cinque corone per lo meno. Certo a nessuno verrebbe in mente di mercanteggiare per cinque corone. Escluso. Anzi, a essere onesti bisognerebbe riconoscere che in considerazione dell'ottimo contenuto cinque corone sarebbero un prezzo irrisorio. Non accetto l'idea di cedere gratuitamente un lavoro così buono. Per quanto mi consta, racconti di questo genere non si trovano per la strada. Chiederò dunque dieci corone.

La luce aumentava via via nella stanza. Gettai una occhiata alla porta e potei leggere senza gran fatica le lettere scheletriche degli addobbi funebri della signora Andersen, nel portico, a destra. Del resto le sette erano già passate da un pezzo.

In piedi in mezzo alla stanza pensai che in fondo la disdetta della signora Gundersen arrivava a buon punto. Quella non era una camera adatta per me. Tendine verdi comunissime alla finestra e non proprio molti chiodi nelle pareti per appendervi la roba. Quella misera sedia a dondolo là nell'angolo non era, a guardar bene, altro che una caricatura di sedia, ridicola al punto che guardandola c'era da ridere, da sganasciarsi fino a sentirsi male. Era troppo bassa per una persona adulta. E poi era talmente stretta che per uscirne ci sarebbe voluto, per così dire, un cavastivali. La stanza insomma non era tale da favorire il lavoro intellettuale e io certo non avevo intenzione di tenerla. No, no, assolutamente. Fin troppo avevo taciuto e sopportato e pazientato in quella topaia!

Soddisfatto di me, gonfio di speranze e tutto compreso del mio articolo meraviglioso che ogni momento mi levavo di tasca e rileggevo, pensai di attuare subito la mia decisione e di fare trasloco. Presi in un angolo il mio fagotto, un fazzoletto rosso che conteneva un paio di colletti puliti e un po' di carta appallottolata (che mi era servita per portare a casa il pane). Vi arrotolai intorno la coperta del letto e mi ficcai in tasca la provvista di carta bianca. Poi per maggior sicurezza frugai dappertutto per assicurarmi di non aver dimenticato niente. Non trovai nulla e mi affacciai alla finestra. La mattina era tetra e umida. Non un'anima presso l'officina bruciata. La fune della biancheria giù nel cortile era ben tirata tra muro e muro: l'umidità l'aveva tesa. Tutte cose che conoscevo; perciò mi ritrassi dalla finestra, misi la coperta sotto il braccio, feci una riverenza all'avviso del direttore dei Fari, m'inchinai davanti agli addobbi funebri della signora Andersen e aprii la porta.

A quel punto mi venne in mente la padrona di casa. Bisognava pure avvertirla del mio trasloco perché vedesse che aveva avuto a che fare con una persona ammodo. Volevo anche ringraziarla per iscritto poiché avevo tenuto la stanza qualche giorno oltre il termine. La certezza di poter stare tranquillo per parecchio tempo mi empiva l'anima a tal punto che promisi ancora cinque corone alla padrona quando fossi ripassato nei prossimi giorni. Volevo dimostrarle senza possibilità di dubbio quale galantuomo avesse ospitato sotto il suo tetto.

Lasciai il biglietto sulla tavola.

Giunto alla soglia mi fermai ancora e mi voltai. La deliziosa sensazione di essere di nuovo a galla mi travolse e mi empì di gratitudine verso Dio e il mondo intero; perciò m'inginocchiai davanti al letto e ringraziai Iddio ad alta voce per la grande prova di bontà che mi aveva dato quella mattina. Io sapevo, sapevo bene che quell'estatica ispirazione che mi era venuta poco prima e mi aveva fatto scrivere era un'opera meravigliosa del cielo nel mio spirito, una risposta al mio grido d'angoscia del giorno prima. Questo è Dio! questo è Dio! dissi tra me e piansi entusiasmato dalle mie stesse parole. Ogni tanto mi fermavo in ascolto per sentire se qualcuno saliva le scale. Silenziosamente scesi di piano in piano e senza essere visto raggiunsi infine il portone.

Le strade erano lustre della pioggia caduta nelle prime ore del mattino. Il cielo pendeva sulla città basso e imbronciato e non si vedeva alcuna striscia di sole. Che ora sarà stata? Come al solito mi diressi verso il Municipio e vidi che erano le otto e mezzo. Potevo dunque passeggiare ancora un paio d'ore. Era inutile andare al giornale prima delle dieci, forse anche prima delle undici. Fino a quell'ora avevo il tempo di bighellonare e di riflettere sul modo di procurarmi un po' di colazione. Del resto non avevo il minimo timore di andare a letto affamato. Grazie a Dio, i tempi erano cambiati. Quello era un periodo passato, un brutto sogno. Da ora si andava avanti.

Intanto la coperta verde incominciò a darmi fastidio. Non stava proprio bene mostrarmi in mezzo alla gente con quel fagotto sotto il braccio. Che cosa avrebbero pensato di me? Andando avanti mi chiedevo dove avrei potuto depositarlo provvisoriamente. E mi venne in mente che potevo andare da Semb e farmi dare un foglio di carta per avvolgere la coperta. Avrei fatto subito una figura migliore e non avrei più dovuto vergognarmi di portare il pacco. Entrai nel negozio ed esposi il mio desiderio a un commesso.

Questi guardò prima la coperta, poi me. Ebbi l'impressione che prendendo la coperta egli si stringesse nelle spalle con un certo disprezzo. Mi offesi e gridai: «Perbacco, state un po' attento! Ci sono dentro due vetri preziosi. Li devo spedire a Smirne!».

L'effetto fu straordinario. Con ogni suo gesto quell'uomo chiedeva scusa di non aver intuito subito quali oggetti di valore fossero nascosti nella coperta. Quand'ebbe fatto il pacco lo ringraziai della cortesia come uno che già altre volte avesse spedito oggetti preziosi a Smirne. Quando uscii, venne persino ad aprirmi la porta.

M'infilai tra la gente dello Stortorv e mi avvicinai alle fioraie che vendevano piante in vaso. Le grandi rose rosse che ardevano così calde e sanguigne nell'umida mattina mi attiravano al punto di farmi provare il desiderio di rubarne una, mentre andavo chiedendo i prezzi soltanto per avvicinarmi a esse il più possibile. Se mi fosse rimasto qualche spicciolo, avrei comperato certamente quelle tre rose. Del resto avrei potuto stringere un po' la cinghia per rimettere in sesto il bilancio.

Erano le dieci e andai al giornale; Forbici, l'aiuto di redazione, frugava in mezzo a vecchi giornali. Il redattore capo non era ancora venuto. A un cenno di Forbici gli porsi il mio bel manoscritto avvertendo che era una cosa più importante del solito e scongiurandolo di consegnarlo personalmente al redattore capo appena fosse arrivato. Nel pomeriggio sarei passato a prendere la risposta.

«Va bene» disse quello e ritornò ai suoi giornali. Mi parve che prendesse la cosa un po' troppo alla leggera, ma non dissi nulla, gli feci soltanto un cenno piuttosto indifferente e me ne andai.

Avevo di nuovo molto tempo a disposizione. Se almeno il cielo si fosse un po' schiarito! Il tempo era semplicemente orribile, senza un soffio d'aria fresca.

Per prudenza le signore avevano aperto l'ombrello, e i berretti di lana degli uomini erano assai buffi e tristi. Feci ancora un giro nella piazza e mi fermai a guardare le verdure e le rose. In quella sentii una mano sulla spalla e mi volsi. Era la Checca che mi dava il buon giorno.

«Buon giorno, eh?» domandai per sentire quali fossero le sue intenzioni. La Checca non godeva delle mie simpatie.

Egli lanciava occhiate curiose al pacco nuovo fiammante che tenevo sotto il braccio e domandò: «Che cos'è?».

«Sono stato da Semb e ho comperato la stoffa per un vestito» risposi con indifferenza. «Non ho più voglia di andare in giro così malconcio. Non bisogna trascurarsi troppo».

Quello mi guardò perplesso.

«E per il resto come va?» domandò lentamente.

«Meglio di quanto potessi aspettarmi».

«Avete trovato qualche cosa da fare?».

«Da fare?» replicai con molto stupore. «Sono il contabile della ditta Christie, ecco».

«Che cosa sento!» esclamò quello ritraendosi di un passo. «Ne sono lieto per voi. Badate però di non prestare i quattrini che guadagnate adesso. Buon giorno».

Ma dopo essersi allontanato tornò indietro e indicando il mio pacco col bastone soggiunse: «Vi consiglio il mio sarto per il vestito. Non c'è sarto migliore di Isaksen. Ditegli pure che vi mando io».

Che cosa gli veniva in mente? Perché ficcava il naso nelle mie faccende? Che importava da che sarto andavo? Ero furibondo. In realtà, la vista di quell'uomo fatuo e imbellettato mi aveva esasperato, sicché gli rammentai piuttosto brutalmente le dieci corone che si era fatto prestare da me. Ma prima che potesse rispondere mi pentii di averlo investito così bruscamente. Rimasi impacciatissimo e non lo guardai più negli occhi. E siccome in quel momento arrivava una signora, mi ritrassi rapidamente per lasciarla passare e approfittai della circostanza per svignarmela.

Che fare in quelle ore d'attesa? A tasche vuote non potevo certo entrare in un caffè. E non conoscevo nessuno da cui andare, decentemente, a quell'ora. Macchinalmente girai per la città, ammazzai un po' di tempo passeggiando su e giù fra la piazza del mercato e la Graense, lessi l'«Aftenposten» appena affisso, deviai verso la via Karl Johan e tornando indietro andai difilato al cimitero del Redentore dove trovai un angolo tranquillo sull'altura presso la cappella.

Immerso in un profondo silenzio mi sedetti e mi appisolai nell'aria umida pensando e gelando. Così passava il tempo. Ma potevo davvero confidare che il mio articolo fosse un piccolo capolavoro d'ispirazione purissima? E se aveva qualche difetto nascosto? A pensarci bene poteva anche non essere accettato, poteva essere respinto! Forse era soltanto roba mediocre o magari cattiva. Ero proprio sicuro che in quel momento non fosse già in fondo al cestino?... La mia euforia incominciava a vacillare. Balzai in piedi e uscii di corsa dal cimitero.

Nella Akersgate guardai in una vetrina e vidi che erano soltanto le dodici più qualche minuto. Mi scoraggiai ancora di più. Avevo sperato che il mezzogiorno fosse passato da un pezzo, e prima delle quattro era inutile andare dal redattore capo. La sorte del mio articolo mi empiva di oscuri presentimenti. Quanto più ci pensavo tanto meno mi pareva probabile che potessi aver scritto qualche cosa di buono, così all'improvviso, quasi nel sonno, con la testa febbricitante e agitata dai sogni. Certo mi ero illuso e avevo passato una mattinata gaia senza un fondamento ragionevole. Proprio così. In tutta fretta passai per l'Ullevaalsvei, davanti al St. Hanshaug e, percorse alcune viuzze di periferia, arrivai in aperta campagna e infine su una strada provinciale che si perdeva all'orizzonte.

Mi fermai e decisi di tornare indietro. La camminata mi aveva riscaldato. Molto depresso ritornai lentamente sui miei passi. Incontrai due carri di fieno; i conducenti dalla faccia tonda e spensierata, entrambi a capo scoperto, stavano lunghi distesi sopra il carico e cantavano. Pensai che mi avrebbero rivolto la parola o lanciato un'osservazione o un frizzo. Quando fui abbastanza vicino uno di loro mi domandò che cosa portassi sotto il braccio.

«Una coperta» risposi.

«Che ora è?».

«Non lo so esattamente, ma saranno le tre».

Quelli si misero a ridere e tirarono avanti. Nello stesso momento mi arrivò una frustata su un orecchio e mi sentii portar via il cappello. I due giovani, si sa, non potevano lasciarmi passare senza farmi uno scherzo. Con un grido di collera mi portai una mano all'orecchio e raccattai il cappello che era caduto nel fosso. Proseguendo incontrai presso il St. Hanshaug un uomo il quale mi disse che erano le quattro passate.

Già le quattro! Le quattro passate! Ritornai di corsa in città. Chissà, il redattore era forse già andato via di nuovo. Camminai e corsi velocissimo, inciampando, andando a sbattere contro le carrozze, sorpassando chiunque mi venisse davanti, facendo a gara con i cavalli: mi affannai come un forsennato per arrivare in tempo. Infilai il portone, feci le scale in quattro salti e bussai.

Nessuna risposta.

È uscito! È uscito! pensai. Premetti la maniglia, la porta si aprì, bussai un'altra volta ed entrai.

Il redattore capo era seduto alla scrivania, il viso verso la finestra, la penna in mano: stava per scrivere. Udendo il mio saluto affannato si volse appena, mi guardò un momento e scuotendo il capo disse: «Già... Non ho avuto ancora il tempo di leggere il vostro articolo».

Meno male che non l'aveva ancora rifiutato! Risposi quindi: «Prego, prego, capisco benissimo. Del resto non c'è fretta. Tra qualche giorno oppure...?».

«Vedremo, vedremo. Ho qui il vostro indirizzo. Quindi...».

Mi dimenticai di spiegargli che non avevo più indirizzo.

L'udienza è terminata. Con alcuni inchini mi ritiro e una nuova speranza divampa nel mio cuore. Dunque non tutto è perduto, anzi tutto può essere guadagnato. E già mi passa per la mente che il gran consiglio del cielo ha deliberato di farmi guadagnare con quell'articolo il capitale di dieci corone, sicuro, dieci corone...

Dove trovare ora un ricovero per la notte? Mi chiedo dove posso rifugiarmi. E questo problema mi assilla talmente che mi fermo in mezzo alla strada. Non so più dove sono, sto lì come un gavitello sperduto in mezzo al mare, contro il quale le onde s'infrangono e urlano. Un giornalaio mi porge il «Viking»: «Numero interessante, novità interessanti!». Io lo guardo e provo una scossa: sono di nuovo davanti a Semb.

Mi volto di scatto, nascondo il pacco sotto la giubba, attraverso di corsa la Kirkegate, costernato e imbarazzato all'idea che possano avermi visto dalla vetrina. Passo davanti all'Ingebret e al teatro e scendo verso il fiordo e la fortezza. Trovo ancora una panchina e riprendo a stillarmi il cervello intorno al quesito: dove andrò a finire?

Dove trovare per questa notte un tetto sotto il quale rifugiarmi? Che non ci sia un buco dove cacciarmi e nascondermi fino a domattina?

Il mio orgoglio non ammetteva che ritornassi nella mia camera. No, non potevo assolutamente ritirare la mia parola. Respinsi indignatissimo il solo pensiero e sorrisi con aria di superiorità: la sedia a dondolo rossa e ridicola... Per associazione di idee mi trovai improvvisamente in una grande stanza a due finestre allo Haegdehaug, dove avevo abitato una volta. Vidi sulla tavola un vassoio pieno di belle fette di pane imburrato. Poi il quadro mutò: era una bistecca, una bistecca seducente accanto a un tovagliolo candido, un mucchio di pane e le posate d'argento. La porta si apriva e la padrona di casa veniva a versarmi un'altra tazza di tè... Sogni, sogni! dicevo tra me: se ora trovassi da mangiare, la testa mi si confonderebbe di nuovo, la febbre mi arderebbe il cervello e dovrei ancora lottare coi miei folli pensieri. Il cibo non mi faceva più bene. Non ero più preparato ad accoglierlo. Era una mia stranezza, una mia peculiarità.

Forse avrei trovato una soluzione sul far della notte. Non c'era fretta. Nel peggiore dei casi potevo cercarmi un cantuccio nei boschi. Tutti i dintorni della città erano a mia disposizione, e poi di notte non gelava ancora.

Il fiordo si cullava pigro e sonnolento, navi e barconi goffi dalla prua larga solcavano il suo piano plumbeo, lo laceravano in strisce e scivolavano via, mentre il fumo si alzava in dense matasse dalle ciminiere e l'ansito degli stantuffi vibrava nell'aria gelata. Non c'era sole, non c'era vento, gli alberi alle mie spalle erano tutti umidi nella penombra e anche la mia panchina era fredda e bagnata. Il tempo passava. Io ripresi ad appisolarmi, ero stanco e la schiena mi doleva dal freddo. Dopo un po' sentii che gli occhi mi si chiudevano... e non li disturbai...

Quando mi destai si era fatto buio tutt'intorno. Balzai in piedi stordito e scosso dai brividi, presi il mio pacco e mi allontanai. Camminavo sempre più rapidamente per scaldarmi, mi battevo le braccia, mi fregavo le gambe che quasi non sentivo più e arrivai così presso la caserma dei pompieri. Erano le nove. Avevo dormito parecchie ore.

Che fare? In qualche posto dovevo pur andare. Mi fermai a guardare la caserma dei pompieri pensando se non fosse il caso di infilarmi in uno dei corridoi quando la sentinella mi avesse voltato le spalle. Salii le scale e, quando stavo per rivolgere la parola all'uomo di guardia, costui fece il saluto con l'ascia e aspettò che parlassi. Quell'ascia alzata col taglio rivolto verso di me mi colpì i nervi come una scossa fredda. Per lo spavento rimasi senza parola. Oh, quell'uomo armato!... e mi ritrassi istintivamente. Non gli dissi nulla e mi tirai indietro piano piano. Per darmi un contegno mi passai una mano sulla fronte come se avessi dimenticato qualche cosa... e me la svignai.

Ritrovatomi sul marciapiede provai quasi un senso di sollievo, come se avessi evitato un grave pericolo. E scappai via.

Gelato e affamato, tra pensieri sempre più tetri mi incamminai per via Karl Johan. Mi misi a bestemmiare forte senza preoccuparmi affatto che qualcuno potesse udire. Davanti allo Storting, proprio accanto al primo leone pensai improvvisamente, per una nuova associazione di idee, a un conoscente pittore, un giovane che una volta al Tivoli avevo salvato da uno schiaffo. In seguito ero anche andato a trovarlo. Feci schioccare le dita e recatomi in Tordenskjoldgate trovai la porta col biglietto di visita C. Zacharias Bartel e bussai.

Egli venne ad aprire personalmente. Puzzava paurosamente di birra e tabacco.

«Buona sera» dissi.

«Buona sera. Che c'è? Ah, siete voi! Perché diavolo venite a quest'ora? Alla luce artificiale non fa nessun effetto. Dopo il nostro incontro vi ho dipinto un pagliaio e ho fatto altri ritocchi. Dovete vederlo di giorno. Ora non è il momento».

«Fatemelo vedere lo stesso!» replicai. In realtà, non sapevo assolutamente di che quadro stesse parlando.

«No, è impossibile!» rispose. «Sembrerebbe tutto giallo, ora. E poi... un'altra cosa» soggiunse avvicinandosi e sussurrando. «Questa sera ho qui una ragazzina. Come vedete, non è possibile».

«Oh, be', sì, certo, allora non se ne parla neanche!».

Mi ritirai, augurai la buona notte e andai via.

Dunque non mi rimaneva altro che il bosco. Se almeno il terreno non fosse stato così umido! Accarezzai la coperta e mi conciliai senz'altro con l'idea di andare a dormire all'aperto. Mi ero tanto torturato con la ricerca di un alloggio in città che ero stanco e stufo di ogni cosa. Oh, il piacere di buttarsi a riposare, di andare per le strade rassegnato, senza un pensiero nella testa! Passai davanti all'orologio dell'Università, vidi che erano le dieci passate e mi diressi verso il centro. Mi fermai davanti a un negozio di coloniali. Nella vetrina erano esposti dei commestibili. Un gatto dormiva accanto a un bel filone di pane bianco. Dietro questo c'erano un vaso di strutto e alcuni barattoli di semolino. Stetti un po' a osservare quelle meraviglie, ma siccome non avevo un centesimo, mi levai di lì con uno strappo e proseguii la passeggiata. Camminando molto lentamente andai avanti, sempre avanti per ore e ore e giunsi infine nel bosco di Bogstad.

Là mi allontanai dalla strada, mi sedetti un po' a riposare e andai poi in cerca di un posticino adatto; raccolsi un po' di erica e di ginepro e su un pendio relativamente asciutto mi preparai la cuccia, poi svolsi il pacco e ne tolsi la coperta. Ero stanco, affannato per la lunga marcia e mi coricai subito. Mi girai e rigirai più volte finché potei trovare la posizione giusta. L'orecchio mi faceva un po' male, era un po' gonfio... in seguito alla frustata che avevo ricevuto dal conducente del carro di fieno. Non potevo star coricato da quel lato. Mi levai le scarpe, me le misi sotto la testa e le coprii col foglio di carta da pacchi.

Le tenebre gravavano intorno a me, e regnava un profondo silenzio. Ma alto nel cielo risonava il respiro del vento, un lontano confuso mormorio che sembrava una musica senza fine. Stetti ad ascoltare la melodia dolorosa e infinita finché ne fui stordito: era certamente la sinfonia dei mondi che turbinavano sopra di me, erano le stelle che cantavano in coro...

«Corpo del diavolo!» esclamai ridendo forte per soffocare la mia angoscia «le civette stridono...».

Mi alzai e mi sdraiai nuovamente... mi rimisi le scarpe movendomi a tentoni nella foresta buia... ma poi mi coricai ancora incollerito di quella mia paura contro cui lottai fino all'alba, addormentandomi poi profondamente.

Quando apersi gli occhi era già chiaro. Ebbi l'impressione che fosse quasi mezzogiorno. M'infilai le scarpe, riavvolsi la coperta nella carta e ripresi la via della città. Era un'altra giornata senza sole. Gelavo come un cane; avevo le gambe morte e le lagrime mi colavano dagli occhi come se essi non potessero tollerare la luce del giorno.

Erano le tre. La fame cominciò ad annunciarsi dolorosamente. Ero spossato e mentre camminavo mi venivano ogni tanto conati di vomito.

Feci una capatina alla cucina popolare, studiai i cibi del giorno registrati sulla lavagna e scrollai le spalle in modo ben visibile, come se il lardo e la carne affumicata non fossero roba per me. Di là scesi nel piazzale della stazione.

A un tratto mi sentii nella testa uno strano stordimento. Deciso a non prestarvi attenzione, continuai a camminare. Ma la situazione andava peggiorando, sicché dovetti mettermi a sedere sul gradino di un portone. Nel mio cervello si svolgeva un singolare mutamento come se qualcosa vi si fosse spostato, o un tessuto vi si fosse lacerato. Trassi qualche sospiro profondo e restai seduto, meravigliato, ma cosciente. Sentivo perfettamente l'orecchio che mi doleva ancora dal giorno prima, e quando passò un conoscente lo riconobbi subito e mi alzai a salutare.

Che nuovo tormento era quello che veniva ad aggiungersi alle mie torture? Era una conseguenza dell'aver dormito sul suolo umido? O derivava dal non aver fatto colazione? A pensarci, una vita simile non era una vera follia? Per le piaghe di Cristo, non riuscivo a capire quale delitto avessi commesso perché mi toccasse una persecuzione così straordinaria. Improvvisamente pensai che tanto valeva diventare un furfante in quello stesso momento, senza aspettare l'indomani, e impegnare la coperta. Certo potevo collocarla per una corona, potevo ricavarne tre pasti relativamente sufficienti e tenermi a galla finché avessi trovato dell'altro. Per Hans Pauli, proprietario della coperta, avrei poi trovato qualche scusa. Mi avviai immediatamente per far visita allo «Zio dei pegni». Davanti alla porta mi fermai, scossi il capo indeciso e me ne andai.

Quanto più mi allontanavo, tanto più ero lieto di aver resistito a quella grave tentazione. La coscienza di essere una persona onesta mi montava la testa e mi dava una sensazione beata: la sensazione di essere un uomo di carattere, un faro bianco e luminoso in mezzo a una marea spregevole di relitti umani. Impegnare la roba altrui per un miserabile pasto, vendere l'anima per mangiare e bere, doversi dire in faccia furfante e mascalzone, dover abbassare gli occhi davanti a se stesso... no, mai, mai! Probabilmente non ci avevo neanche pensato sul serio. Non mi era nemmeno venuto in mente. Non ero certo responsabile di quei pensieri incerti e fluttuanti, tanto più che la testa mi doleva da farmi impazzire, e mi trascinavo quasi morto con quella coperta che apparteneva a un altro.

Nonostante tutto avrei certo trovato una via d'uscita. Un po' di pazienza. C'era, per esempio, il mercante Christie. L'avevo forse seccato ogni ora dopo aver concorso al posto disponibile? Avevo tirato il suo campanello dalla mattina alla sera? Ero forse stato respinto? No, non mi ero neanche presentato, non avevo avuto alcuna risposta. Non ero affatto sicuro che il tentativo fosse nuovamente fallito. Questa volta potevo aver fortuna. La sorte fa spesso giri complicati e svolte curiose. Perciò andai dal signor Christie. L'ultima scossa e la commozione mi avevano tolto le forze. Camminavo quindi lentamente, molto lentamente, pensando a quel che avrei detto al mercante. Chissà, forse era un'anima buona. Se lo trovavo di buon umore, certo non avrebbe avuto difficoltà ad anticiparmi una corona senza farsi troppo pregare. Quella gente ha talvolta idee veramente luminose.

Entrai sotto un portone e inumidii il ginocchio dei calzoni con la saliva per darmi un'aria più decente;

nascosi la coperta dietro una cassa in un angolo buio, attraversai la strada ed entrai in una piccola bottega.

Un uomo stava incollando pacchi fatti con vecchi giornali.

«Il signor Christie?» domandai.

«Sono io» rispose.

Dissi che mi chiamavo così e così, che mi ero preso la libertà di mandargli due righe per concorrere al posto offerto e non sapevo ancora se ero stato accettato.

Egli ripeté il mio nome un paio di volte e si mise a ridere. «Guardate un po' qui!» disse estraendo la mia lettera dal portafogli. «Abbiate la compiacenza, signor mio, di guardare come trattate i numeri. Nella data voi avete messo l'anno 1848!» e rideva a crepapelle.

Io rimasi mortificato, dissi che la cosa era piuttosto grave, era stato un momento di distrazione, ammisi la mia spensieratezza.

«Ecco, vedete,» disse «io ho bisogno di un uomo che sia preciso in fatto di numeri. Mi dispiace molto. La scrittura è chiara e bella. Anche la lettera come tale mi piace, ma...».

Aspettavo. Quella non poteva essere certo l'ultima parola. Ed egli continuò a incollare pacchi.

Certo era spiacevole, dissi, maledettamente spiacevole. Ma naturalmente la cosa non si sarebbe più ripetuta e certo quella piccola svista non annullava tutte le mie capacità di contabile.

«Non dico questo» replicò lui. «Ma per me il fatto fu così importante che mi decisi subito per un altro».

«Sicché il posto è occupato?».

«Già».

«Dio mio, mi sa allora che non c'è niente da fare».

«Proprio niente, mi rincresce. Però...».

«Addio!» esclamai.

E mi prese una rabbia selvaggia e brutale. Andai a ritirare il pacco dall'angolo, strinsi i denti, investii sul marciapiede i pacifici passanti senza domandare scusa. Un tale mi fermò per rinfacciarmi piuttosto aspramente il mio contegno, ma io mi volsi e gli gridai in faccia non so che parola insensata, gli andai coi pugni sul viso, e proseguii accecato e sopraffatto da una collera che non potevo più contenere. Quello chiamò una guardia e io non cercavo di meglio che avere per un istante una guardia fra le mani, sicché rallentai il passo apposta: volevo dargli la possibilità di raggiungermi. Ma quello non venne. Si poteva pensare ancora a un mondo ragionevole, se tutti i tentativi, per quanto onesti e assidui, erano buchi nell'acqua? Perché avevo scritto «1848»? Che m'importava di quell'anno dannato? Ecco che andavo in giro tormentato dalla fame e che le budella mi si torcevano come vermi. E nulla mi garantiva che entro la fine della giornata avrei trovato qualcosa da mangiare. Quanto più il tempo passava, tanto più mi sentivo svuotato fisicamente e moralmente. Di giorno in giorno commettevo azioni sempre più disonoranti. Dicevo bugie senza vergognarmi, truffavo la pigione alla povera gente, giocavo persino col pensiero schifoso di approfittare delle coperte altrui... senza alcun pentimento, senza rimorsi di coscienza. Incominciavo ad avere macchie nere dentro di me e muffe che si allargavano sempre più... E lassù nel cielo c'era Dio che mi guardava attentamente badando che la mia rovina avvenisse a regola d'arte, lenta ma sicura, a passo regolare. Laggiù in fondo invece, nell'abisso infernale, i diavoli malvagi sbuffavano dalla rabbia perché ci voleva tanto tempo prima di farmi cadere in peccato mortale, in un peccato imperdonabile per cui Dio nella sua giustizia dovesse spedirmi all'inferno...

Il mio passo si fece più rapido. A poco a poco mi misi persino a correre, deviai verso sinistra e mi trovai senza volere, furibondo e grondante di sudore, in un vestibolo chiaro e decorato di pitture. Ma non mi fermai, neanche un secondo. L'insolito aspetto di quell'ingresso mi entrò subito nella coscienza e mentre salivo le scale vidi chiaramente ogni particolare delle porte, delle decorazioni, delle mattonelle del pavimento. Al secondo piano tirai forte il campanello. Perché mi ero fermato proprio là, al secondo piano? E perché mi ero attaccato proprio a quel campanello che pure era il più lontano dalla scala?

Venne ad aprire una signorina vestita di grigio con guarnizioni nere. Mi guardò un momento stupefatta, scosse il capo e disse: «No, oggi non abbiamo niente». E fece per chiudere la porta.

Anche quella doveva capitarmi! Mi prendevano senz'altro per un accattone. Mi sentii gelare, ma mi calmai subito. Mi tolsi il cappello, feci un profondo inchino e come se non avessi udito quelle parole, dissi con perfetta cortesia: «Vi prego di scusarmi, signorina, se ho suonato così forte. Non avevo pratica del campanello. Qui ci dovrebbe essere un signore ammalato che, secondo un avviso sul giornale, cerca una persona che gli spinga la carrozzella».

Per un po' ella parve considerare la mia menzogna e non sapere che cosa pensare di me.

«No, no,» rispose infine «non c'è nessun malato qui».

«Ah no? Dovrebbe essere un signore anziano. Due ore al giorno di passeggiate. Quaranta centesimi l'ora».

«No, no».

«Allora, signorina, devo chiedervi scusa ancora una volta. Forse è di sotto al primo piano. Si trattava di raccomandare un mio conoscente che mi sta a cuore. Io mi chiamo Wedel-Jarlsberg». E fatto un altro inchino mi ritirai. La signorina si fece rossa come un gambero. Per l'imbarazzo era incapace di muoversi e mi seguì con lo sguardo mentre scendevo le scale.

Avevo ritrovato la calma. La mia testa era limpida. Le parole di quella signorina, quando aveva detto che non aveva nulla da darmi, mi avevano fatto l'effetto di uno spruzzo d'acqua gelata. A tal punto ero arrivato! Ognuno vedendomi poteva pensare: ecco un accattone, uno di coloro ai quali si dà un pezzo di pane dallo spiraglio della porta.

Nella Möllergate mi fermai davanti a una trattoria e aspirai il delizioso profumo d'arrosto che ne usciva. Avevo già messo la mano sulla maniglia e stavo per entrare, ma mi arrestai in tempo e andai oltre. Quando arrivai nella piazza del mercato e cercai un posticino per riposare, c'erano tutte le panchine occupate. Girai invano intorno alla chiesa per trovare un angolino dove sedermi. Si capisce, dicevo seccato tra me e me, si sa, si capisce! E andai avanti. Feci una capatina fino alla fontana, presso la caserma dei pompieri, mandai giù un sorso d'acqua, mi trascinai avanti fermandomi a lungo davanti alle vetrine e seguendo con gli occhi tutte le carrozze che passavano. Avevo il cervello in fiamme e uno strano battito nelle tempie. L'acqua che avevo bevuto mi fece molto male, sicché più volte fui costretto a rigettare. In tali condizioni arrivai al cimitero: mi sedetti coi gomiti sulle ginocchia e la testa fra le mani. Così rannicchiato stetti meglio, poiché non sentivo più quel tormento segreto nello stomaco.

Uno scalpellino era inginocchiato su una grande lastra di granito e con lo scalpello e il mazzuolo incideva una iscrizione nella pietra. Portava occhiali azzurri e mi fece venire in mente un mio conoscente quasi dimenticato che aveva un buon posto in una banca: poco tempo prima l'avevo incontrato all'Oplandske Café.

Fossi stato capace di vincere risolutamente la vergogna e di rivolgermi a lui rivelandogli la verità senza pudori, dicendogli che la mia situazione era disperata e che mi diventava difficile sopravvivere! Potevo cedergli l'abbonamento del barbiere... per Diana, sicuro, il mio abbonamento! Quel foglietto valeva quasi una corona. Cercai ansiosamente il prezioso tesoro. Non trovandolo subito mi misi a frugare nelle tasche, col sudore alla fronte... e finalmente lo trovai in fondo a una tasca insieme con altre carte bianche e scritte, tutta roba senza valore. Contai i tagliandi nuovi dell'abbonamento di sotto in su, di sopra in giù: erano ancora sei. In fondo, che cosa me ne facevo? Era capriccio? Era una mia trovata? Certo da qualche tempo non avevo più voglia di farmi radere.

E mezza corona era un bell'aiuto, mezza corona di quelle lustre, d'argento, uscite dalla zecca. La banca chiudeva alle sei, potevo dunque trovare il conoscente fra le sette e le otto davanti all'Oplandske Café.

Che buon'idea! Il tempo passava, il vento sibilava tra le foglie degli ippocastani, il giorno volgeva al tramonto. Ma non era forse troppo poco offrire a un giovane impiegato di banca mezza dozzina di tagliandi per il barbiere? Lui stesso poteva avere in tasca due abbonamenti nuovi, molto più puliti del mio! Chissà! E frugai in tutte le tasche per cercare qualche cosa da aggiungere, ma non trovai niente. E se gli avessi offerto la cravatta? Io potevo ben farne a meno, bastava che mi abbottonassi la giacca fino al collo... tanto, dovevo farlo lo stesso, poiché non avevo il panciotto. Sciolsi la cravatta, un cravattone che mi copriva mezzo petto, la spolverai per bene e la avvolsi insieme con l'abbonamento del barbiere in un foglio di carta pulito. Poi lasciai il cimitero e mi diressi verso l'Oplandske Café.

L'orologio del Municipio segnava le sette. Mi trattenni nei pressi del caffè, passeggiai su e giù lungo la cancellata e osservai attentamente chi entrava e chi usciva. Infine, verso le otto, vidi arrivare quel giovane, fresco ed elegante. Il cuore mi palpitava nel petto come un uccellino implume. Senza salutare abbordai il giovane piuttosto sfacciatamente: «Caro amico, mi occorre mezza corona. Ecco qui un pegno, una garanzia» e gli misi in mano il piccolo involto.

«Non ho nulla» rispose. «In verità non ho il becco di un quattrino» e mi mostrò il borsellino vuoto. «Ieri sera sono uscito e oggi mi trovo liscio liscio. Credetemi, non ho neanche un centesimo».

«Capisco, caro amico, vi credo, vi credo» risposi convinto. Egli non aveva nessun motivo di mentire per una simile inezia. Mi parve anche che i suoi occhi azzurri s'inumidissero mentre frugava nelle tasche e non trovava niente. Io mi tirai indietro: «Scusate tanto, sto attraversando un momento d'imbarazzo».

Ero già arrivato alla cantonata allorché quello mi richiamò per l'involto.

«Tenetelo, tenetelo pure» esclamai. «Ve lo lascio volentieri. Una cosa da niente... Suppergiù tutto quello che possiedo in questo mondo». E mi commossi delle mie stesse parole. Avevano un suono così disperato nell'ombra del crepuscolo che non potei fare a meno di piangere.

Il vento prese a soffiare più forte, le nuvole a rincorrersi veloci nel cielo. E l'aria si faceva più fresca e più buia. Percorsi tutta la strada piangendo. Avevo pietà di me stesso e andavo ripetendo sempre le stesse parole come un'invocazione d'aiuto che mi faceva tornare le lagrime agli occhi appena stavano per cessare: «Signore, Dio mio, sto tanto male! Signore, Dio mio, sto tanto male!». Così passò un'ora, un'ora infinitamente lenta e pigra. Rimasi un po' nella Torvgate, mi sedevo sui gradini delle case, mi ritiravo sotto un portone quando passava qualcuno, ficcavo lo sguardo assente nelle piccole botteghe illuminate dove la gente barattava merce e denaro... finché mi trovai in un angolo, riparato da una catasta di tavole, fra la chiesa del Redentore e la caserma dei pompieri.

Questa volta non ero più in grado di andare nel bosco. E tutto mi era indifferente, non avevo più forze, la strada era troppo lunga. Avrei passato la notte alla meglio o alla peggio e potevo restare dov'ero. Se avevo troppo freddo potevo fare qualche giro intorno alla chiesa. Niente più storie! E appoggiatomi alla catasta mi appisolai.

I rumori della strada diminuirono, i negozi si chiusero, i passanti si fecero sempre più rari e a poco a poco tutte le finestre si spensero...

Aprii gli occhi e vidi una figura davanti a me. A giudicare dai bottoni lustri doveva essere una guardia; non potevo vederlo in faccia.

«Buona sera» disse.

«Buona sera» risposi impaurito, e mi alzai piuttosto impacciato.

Egli stette immobile per alcuni istanti. «Dove abitate?» domandò.

Per vecchia abitudine e senza riflettere diedi il mio ultimo indirizzo, la cameretta che avevo abbandonato.

Egli era sempre là, immobile.

«Ho fatto qualche cosa di male?» domandai tremando.

«No, niente» rispose. «Ma non sarebbe meglio che andaste a casa? Fa troppo freddo qui per dormire».

«Sì, sì, sento che fa fresco».

Augurai la buona notte e mi diressi istintivamente verso la mia vecchia abitazione. Stando molto attento avrei potuto salire inosservato. Erano in tutto otto rampe di scale e soltanto i gradini dell'ultima scricchiolavano.

Nell'ingresso mi tolsi le scarpe e andai su in punta di piedi. Silenzio dappertutto. Al secondo piano udii il ritmo lento di una pendola. Un bambino mandò un gemito. Poi più nulla. Trovai la mia porta, la sollevai un po' sui cardini, aprii come sempre senza chiave, entrai nella stanza e chiusi senza far rumore.

La stanza era come l'avevo lasciata. Le tendine erano scostate e il letto vuoto. Sulla tavola mi parve di scorgere un pezzo di carta, probabilmente il biglietto che avevo lasciato per la padrona. Dunque dopo la mia partenza non era neanche salita. Allungai la mano verso quella macchia bianca e con mio grande stupore mi accorsi che era una lettera! Una lettera? Mi avvicinai alla finestra, cercai di decifrare quasi al buio l'indirizzo e lessi finalmente il mio nome. Ho capito, pensai, è la risposta della padrona, l'ordine di non metter più piede in questa camera, se osassi ritornarci.

Uscii allora piano piano, lentamente, le scarpe in una mano, la lettera nell'altra e la coperta sotto il braccio. Cercai di rendermi leggero il più possibile stringendo i denti per timore che i gradini potessero scricchiolare, ma arrivai sano e salvo in fondo alle scale e raggiunsi il portone.

Mi rimisi le scarpe adagio e con comodo, legai le stringhe, stetti ancora un po' tranquillo a guardare nel vuoto, sempre con la lettera in mano.

Poi mi alzai e uscii.

La luce d'un fanale a gas illuminava la strada tremolando. Mi avvicinai, deposi il pacco ai piedi del fanale e aprii la lettera con la massima lentezza.

Un'ondata di luce calda mi si riversò nel cuore! Udii un mio breve grido, un grido di gioia insensata: la lettera veniva dal redattore capo, il mio articolo era accettato, passato subito alla stampa! «Qualche piccolo ritocco... corretto un paio di sviste... lavoro ingegnoso... uscirà domani... dieci corone».

Risi e piansi, mi misi a correre per la strada, mi fermai, mi diedi una botta al ginocchio e bestemmiai ad alta voce.

E il tempo passava. Tutta la notte fino alla luce dell'alba girai per le strade cantando istupidito dalla gioia e ripetendo continuamente: Lavoro ingegnoso, dunque un piccolo capolavoro, un colpo di genio! E dieci corone!

# CAPITOLO II

Una sera, dopo qualche settimana, ero di nuovo in giro.

Ero stato in non so quale cimitero a scrivere un articolo per un giornale locale. Avevo fatto le nove, incominciava ad annottare e il custode doveva chiudere il cimitero. Avevo fame, molta fame. Purtroppo le dieci corone erano durate assai poco. Non mangiavo da due, anzi da quasi tre giorni. Mi sentivo fiacco, sfinito dalla fatica di scrivere. Avevo in tasca un temperino e un anello da chiavi, ma non un centesimo.

Quando il portone del cimitero fu chiuso, sarei potuto benissimo andare a casa. Ma per il timore istintivo di quella camera così buia e vuota, che un tempo era stata l'officina di uno stagnino e dove finalmente avevo trovato un tetto provvisorio, mi misi a camminare alla ventura e passando davanti al Municipio scesi fino al fiordo, ai moli presso la stazione dove mi buttai su una panchina.

Per qualche minuto non ebbi nessun pensiero triste. Dimenticai la mia miseria e alla vista del porto così tranquillo e bello nella penombra mi sentii calmo. Per vecchia consuetudine volli procurarmi una gioia: quella di rileggere il pezzo scritto poco prima. Al mio cervello dolente pareva quanto di meglio avessi scritto fino allora. Presi il manoscritto, lo tenni vicino agli occhi per poter vedere e ripassai una pagina dopo l'altra. Mi stancai e rimisi il manoscritto in tasca. Tutto era silenzio. Il fiordo pareva di madreperla argentea. Gli uccelli mi volavano davanti di qua e di là. Una guardia passeggiava là in fondo, in su e in giù, e non si vedeva altra anima viva. Il porto era addormentato.

Rifeci l'inventario dei miei averi: un temperino, un anello da chiavi, ma non un centesimo. Ricacciai la mano in tasca e ne trassi fuori il manoscritto. Era stato un gesto meccanico, un guizzo incosciente dei nervi. Ne tolsi un foglietto bianco e, Dio solo sa come mi venne quell'idea, ne feci un rotolino ben chiuso ai due capi. Pareva fosse pieno. Poi lo gettai in mezzo alla strada. Spinto dal vento, esso si allontanò un pochino, poi si fermò.

La fame incominciò a torturarmi seriamente. Guardavo il mio rotolo bianco che pareva fosse pieno di monete d'argento. E incoraggiavo me stesso a credere che contenesse davvero qualche cosa. Allungavo il collo, facevo per alzarmi dalla panchina e mi invitavo a indovinare la somma contenuta. Se colpivo nel segno, era mia. E immaginavo i piccoli e graziosi pezzi da dieci centesimi, belli e lustri dentro quel rotolino per terra e, sopra quelli, le grosse corone cordonate: un rotolo di monete. Ma rimanevo seduto e contemplavo con gli occhi spalancati tutta quella meraviglia ed esortavo me stesso a rubare il rotolo.

In quella udii la guardia tossire. E anch'io, come mai mi venne quell'idea? anch'io tossii. Mi alzai dalla panchina e tossii nientemeno che tre volte: volevo che mi udisse. Se si avvicinava, come si sarebbe buttato su quel rotolo! E godevo malignamente di quella beffa, mi fregavo le mani soddisfatto e imprecavo a tutt'andare. Con un bel palmo di naso sarebbe rimasto quel cane! Che affogasse nel lago più ardente dell'inferno, per quella birbonata! Ero intossicato dalla fame, la fame mi aveva ubriacato.

Ed ecco, dopo qualche minuto la guardia arriva battendo gli scarponi ferrati e lancia occhiate a destra, a sinistra, davanti e di dietro. Ha tempo lui, molto tempo. Ha ancora a disposizione tutta la notte. Non vede il rotolo. Lo scorge soltanto quando è vicino. E allora si ferma, si ferma a guardare. Come sembra bianco e prezioso quell'oggetto! Che vi sia una sommetta? Una bella sommetta in monete d'argento?... Ed ecco che raccatta il rotolo. Oh, è leggero, molto leggero. Sarà dunque una piuma preziosa per un elegante cappellino da signora. Può darsi... Poi apre cautamente il rotolo con quelle grosse manacce e mi guarda. Io rido, mi batto le ginocchia, rido come un matto. Ma senza farmi sentire. Il mio riso è muto e febbrile, intenso come un singhiozzo...

Gli scarponi batterono poi nuovamente sul selciato e la guardia tornò verso il molo. Io sedevo sulla panchina con le lagrime agli occhi, avevo il singhiozzo, boccheggiavo in cerca d'aria, ero fuori di me dall'allegria e dalla febbre. Parlavo a voce alta, mi raccontavo il mistero del rotolo, scimmiottavo i gesti della povera guardia, mi guardavo la mano vuota e andavo ripetendo: «Quando l'ha buttato via ha tossito! Ha tossito buttandolo via!». E trovavo parole, sempre nuove parole, folli, sempre più folli e insensate, finché potei dire soltanto: «Ha tossito... oh oh oh!».

Mi sfinivo in variazioni su queste parole ed era già molto tardi quando la mia allegria cessò. Mi prese una stanchezza sonnolenta, una grande spossatezza che però era piacevole. Il buio era diventato più fitto, una brezza leggera increspava la madreperla del fiordo. Le navi, i cui alberi si ergevano neri contro il cielo, mi guardavano tozze e scure come mostri silenziosi dalle setole irte che stessero in agguato. Non provavo più alcun dolore, la fame lo aveva smorzato. Al contrario, mi sentivo piacevolmente vuoto e nessuna cosa all'interno mi toccava: ero lieto che nessun occhio umano mi potesse vedere. Sollevai le gambe sulla panchina e mi coricai. In tal modo potevo godermi veramente il delizioso sentimento della solitudine. Nel mio cuore non vi era alcuna ombra, alcuna sensazione dolorosa... per quanto i miei pensieri vagassero lontano, nessun piacere, nessun desiderio rimaneva inappagato. Giacevo a occhi aperti in uno stato di dolcezza estatica... mi sentivo meravigliosamente lontano da me stesso.

Non un suono che mi disturbasse. Quel buio dolce intorno a me aveva fatto sprofondare il mondo intero e mi aveva sepolto in un riposo perfetto. Il lieve sussurro del silenzio solitario si placava con beata ansietà nelle mie orecchie. E i mostri oscuri là fuori mi prenderanno al giungere della notte e mi porteranno lontano, oltre il mare, in paesi strani e disabitati. E mi porteranno nel castello della principessa Ylajali dove mi aspettano le meraviglie di tutti i mondi, più grandi di quelle che un mortale abbia mai viste. E lei stessa starà in una sala radiosa di ametista, sopra un trono di rose gialle, e vedendomi entrare nella sua luce mi porgerà la mano, mi saluterà e mi darà il benvenuto quando m'inginocchierò davanti a lei: «Benvenuto, cavaliere, nella mia terra! Ti ho aspettato per venti lunghe estati e ti ho invocato in tutte le notti chiare. E quando eri addolorato ho pianto calde lagrime per te. E quando dormivi ti mandavo sogni soavi...».

La bella donna mi prende per mano e mi accompagna per ampie sale dove una gran folla ci applaude, mi conduce per giardini luminosi dove trecento giovani fanciulle giocano e ridono, mi accompagna in un'altra sala tutta luccicante di smeraldi. Qui brilla il sole. Musiche e cori trasvolano per gallerie e colonnati, profumi di fiori mi vengono incontro a ondate. Tengo fra le mie la mano di lei e rabbrividendo mi sento pulsare nelle vene tutta l'ebbrezza dell'amore. E mentre il mio braccio vorrebbe stringerla timidamente, ella mormora: «Non qui, andiamo avanti». E così entriamo nella magnificenza della sala rossa che è tutta un rubino stupendo, tanto che mi getto in ginocchio commosso. Allora sento il lieve braccio di lei che mi cinge e il suo alito odoroso che bisbiglia: «Benvenuto, mio adorato! Baciami, baciami ancora... ancora!».

Vedo davanti agli occhi una danza di stelle e il mio pensiero guizza in un turbine di luce...

Così annegai in un sonno profondo. E la guardia mi scrollò per svegliarmi e così fui riportato spietatamente alla vita e alla miseria. La mia prima sensazione fu un ebete stupore di trovarmi all'aperto. Ma ben presto fui preso da un amaro disgusto. Mi venne da piangere per il dolore di essere ancora vivo. Mentre dormivo era piovuto. Avevo gli abiti fradici ed ero scosso da brividi di freddo. Il buio era quasi impenetrabile. Riuscivo appena a distinguere il viso della guardia.

«Forza dunque!» disse la guardia. «In piedi e in marcia!».

Mi alzai subito. Se mi avesse comandato di ributtarmi giù, avrei obbedito allo stesso modo. Ero distrutto, non avevo più alcuna forza. E quella fame che mi tormentava!

«Ehi, voi!» mi gridò la guardia. «Aspettate un momento! Idiota! Avete dimenticato il cappello. Bene... e ora via! Filate!».

«Pareva anche a me di avere... non so, di aver dimenticato qualche cosa» balbettai trasognato. «Grazie. Buona notte».

E mi allontanai barcollando.

Avere un pezzo di pane! un pezzetto di pane! Un ghiotto boccone di pane nero da poter mangiare così per la strada! Camminavo e mi figuravo proprio quel pane nero che avrei gustato tanto volentieri. Avevo una fame disperata. E desideravo essere morto, sparire. Divenni sentimentale e mi misi a piangere. La mia pena era senza fine. Ed ecco... a un tratto mi fermai in mezzo alla strada, pestai i piedi sul selciato e incominciai a sacramentare: «Che cosa ha detto? Idiota a me? Gliela farò vedere io, a quella guardia, che cosa vuol dire darmi dell'idiota!». E mi voltai per tornare indietro. Ero fuori di me dalla collera. Correndo inciampai e caddi, ma senza badarci mi risollevai e continuai a correre. Arrivato sul piazzale della stazione, mi sentii così stanco che non avrei certo potuto scendere fino al molo. Intanto mi era sbollita un po' anche la collera. Mi fermai a prender fiato. Non potevo infischiarmene delle parole di una guardia? Certo, ma dovevo forse inghiottire tutte le ingiurie? Bravo, interruppi me stesso, ma quello là non era capace di comportarsi meglio! Accettai la spiegazione. E ripetei: Non era capace di comportarsi meglio. Poi tornai indietro.

Dio buono, che idee! pensavo indignato. Uno si mette a correre come un pazzo, di notte, per le strade bagnate! La fame mi rodeva e non mi dava pace. Inghiottivo la saliva, più e più volte, per placare in tal modo gli stimoli della fame. E m'illudevo che il rimedio fosse buono! Per parecchie settimane avevo mangiato troppo poco e in quegli ultimi giorni le mie forze erano diminuite notevolmente. Quando la fortuna mi assisteva e con qualche manovra riuscivo a raggranellare cinque corone, queste non bastavano quasi mai fino al prossimo guadagno senza che vi si frapponesse un altro periodo di fame. Chi soffriva di più erano le mie spalle e la schiena. Riuscivo a volte a placare per qualche minuto i morsi della fame tossendo o camminando curvo. Ma per le spalle e la schiena non sapevo proprio come fare. Perché mai non venivano per me tempi migliori? Non avevo anch'io il diritto di vivere come tutti gli altri, come per esempio Pascha, il libraio antiquario, e Hennechen, il segretario della Navigazione? Non avevo forse un paio di spalle da gigante e due braccia robuste per lavorare? Non avevo persino tentato di guadagnarmi il pane spaccando legna in un deposito di legname della Möllergate? Ero un poltrone? Non ero andato continuamente in cerca di un'occupazione, non avevo frequentato lezioni e scritto articoli per giornali e letto e sgobbato giorno e notte come un matto? E non ero vissuto come un avaro di pane e latte quando ero ricco, e sofferto la fame quando ero al verde? Avevo forse una fila di stanze al piano nobile quando dormivo all'albergo? In una bicocca abitavo, in un'officina di stagnaio abbandonata da Dio e dagli uomini, vuota fin dall'inverno perché vi nevicava dentro. Non riuscivo proprio a sbrogliare la matassa.

E così mi lambiccavo il cervello e camminavo, eppure nei miei pensieri non c'era neanche un lampo di cattiveria né di invidia o di amarezza.

Mi fermai davanti a un negozio di colori e stetti a guardare la vetrina. Tentai di leggere le etichette su alcuni barattoli, ma era ancora troppo buio. Seccato di quella mia nuova idea e furibondo perché non riuscivo a sapere il contenuto di quei barattoli, bussai al vetro e passai oltre. Vidi da lontano una guardia, affrettai l'andatura e passandogli vicino dissi senza alcuna ragione: «Sono le dieci!».

«No, sono le due» replicò quello meravigliato.

«No, sono le dieci. Le dieci!» e sbuffando gli andai vicino minacciandolo col pugno e gridando: «Sono le dieci, ha capito?».

Quello si fermò a riflettere un istante e mi guardò piuttosto sconcertato. Infine disse pacatamente: «In ogni caso è ora che andiate a casa. Volete che vi accompagni?».

Quella gentilezza mi disarmò. Sentii che gli occhi mi si empivano di lagrime e mi affrettai a rispondere: «No, grazie. Sono stato fuori un po' troppo, in un caffè. La ringrazio molto».

Egli si portò una mano al berretto mentre mi allontanavo. La sua cortesia mi aveva sopraffatto e io piansi perché non avevo cinque corone da regalargli. Mi fermai a guardarlo mentre se ne andava lentamente per la sua strada, mi passai una mano sulla fronte e piansi tanto più forte quanto più quello si allontanava. Mi rinfacciai la mia povertà, imprecai contro me stesso, inventai nuovi insulti magnifici nella loro brutalità e me li scagliai in faccia. Smisi di imprecare solo quando fui quasi a casa. Davanti al portone mi accorsi che avevo perduto la chiave.

Già, si capisce! dissi fra me con amarezza, perché non dovevo perdere anche la chiave? Abito qua in una casa che al pian terreno è una stalla e, di sopra, un'officina di stagnaio. Di notte il portone è chiuso e nessuno può venir ad aprire: perché dunque non dovevo perdere la chiave? Ero bagnato come un pulcino, avevo fame, un pochino di fame, e una stanchezza ridicola nelle ginocchia: perché non dovevo dunque perdere la chiave? Perché, vedendomi arrivare, tutta la casa non si era trasferita ad Aker?... E risi fra me, reso insensibile dalla fame e dallo sfinimento.

Udivo scalpitare i cavalli nella stalla, vedevo la mia finestra là in alto, ma non potevo aprire il portone. Ero stanco e scoraggiato, ma tutto era inutile. Volere o no mi decisi pertanto a ritornare sul molo a cercare la chiave.

Si era rimesso a piovere e sentivo l'acqua che mi scorreva giù per le spalle. Vicino al Municipio mi venne una buona idea: potevo pregare la polizia di aprire il portone. Mi rivolsi a una guardia e la pregai vivamente che venisse con me e mi aprisse se era possibile.

Già, se era possibile. Ma egli non poteva: non aveva chiavi. Le chiavi della polizia non erano lì, ma nel reparto investigativo.

E allora?

Già, allora potevo andare all'albergo.

Veramente però all'albergo non ci potevo andare. Soggiunsi che non avevo soldi. Ero stato fuori, in un caffè... poteva ben capire...

Rimanemmo alcuni istanti sulla scala del Municipio. Egli rifletteva tra sé e mi osservava. Nella strada pioveva a catinelle.

«Allora non vi rimane altro che presentarvi all'ufficiale di guardia e dire che siete senza tetto...» mi suggerì.

Senza tetto? A questo non avevo pensato. Perdinci, era un'idea luminosa! Ringraziai la guardia per quell'ottimo suggerimento. Ma potevo entrare così, senza difficoltà, e dire che ero senza tetto?

«Sì, sì, senza difficoltà...».

«Vi chiamate?» domandò l'ufficiale di guardia.

«Tangen... Andreas Tangen».

Non saprei dire perché mentissi. I pensieri mi turbinavano nella testa e vi accendevano più idee di quante potessi smaltire. Su due piedi avevo inventato quel nome assolutamente sconosciuto e l'avevo buttato lì senza riflettere. Mentivo senza che fosse necessario.

«Professione?».

Sta' a vedere che adesso mi butta fuori. Sulle prime pensai di spacciarmi per stagnino, ma non osai. Mi ero dato un nome come non l'hanno gli stagnini. Inoltre portavo gli occhiali. Pensai allora di essere sfacciato. Avanzai di un passo e dissi con voce ferma e solenne: «Giornalista».

Quello trasalì prima di scrivere: stavo ben eretto davanti a lui, un ministro senza casa. Non diede però alcun segno di diffidenza. Certo capiva perché la mia risposta fosse stata esitante. Che figura! Un giornalista al Municipio, senza un tetto sulla testa!

«In che giornale... signor Tangen?».

«Al "Morgenbladet"» risposi. «Purtroppo questa sera sono rimasto fuori fin tardi...».

«Questo non c'è bisogno di scriverlo» mi interruppe e soggiunse con un sorriso: «Si sa, giovanotti fuori di casa... comprendiamo benissimo...», e alla guardia che era seduta dietro a lui ordinò: «Accompagnate il signore di sopra nel reparto riservato. Buona notte».

Ero scosso da brividi gelati. Quale spudoratezza. E strinsi i pugni per darmi un contegno.

«Il gas rimane acceso per dieci minuti» disse la guardia dalla soglia.

«Poi si spegne?».

«Poi si spegne».

Mi sedetti sul letto e sentii girare la chiave nella toppa. La cella illuminata era accogliente. Mi pareva di essere a casa mia, veramente al riparo ed era proprio piacevole ascoltare la pioggia che cadeva. Potevo forse desiderare qualcosa di meglio che una cella così accogliente? Ero davvero contento. Seduto sul letto, il cappello in mano, osservando alla parete la fiamma del gas incominciai a ripensare momento per momento a quel mio primo incontro con la polizia. Come li avevo presi in giro! Come, scusate? Giornalista Tangen. E poi, «Morgenbladet». L'avevo colpito al cuore, quel brav'uomo. Questo non c'è bisogno di scriverlo, vero? Fino alle due di notte in bagordi e la chiave dimenticata a casa insieme col portafogli gonfio di biglietti da mille! Accompagnate il signore di sopra nel reparto riservato...

Ed ecco spegnersi il gas all'improvviso. Mi trovai immerso in un'oscurità profonda. Non potevo vedere le mie mani né le pareti bianche intorno. Proprio nulla. Non mi rimaneva altro che andare a letto. E mi spogliai.

Non ero ancora abbastanza stanco... non riuscivo ad addormentarmi e rimasi a lungo a fissare il buio, a guardare l'oscurità densa e compatta, imperscrutabile, inconcepibile. Sentivo il contatto del buio come un incubo opprimente. Chiusi gli occhi, mi misi a canticchiare sotto voce, mi voltai e rivoltai sul cuscino per distrarmi. Tutto inutile. L'oscurità mi aveva stretto nelle sue spire e non mi dava un istante di requie. Mi ero sciolto addirittura nel buio? Mi ero immedesimato, confuso con l'oscurità? Mi misi a sedere sul letto e tesi le braccia.

L'eccitazione nervosa si era impadronita di me ed era inutile cercare di vincerla. Me ne stavo seduto in preda alle più bizzarre fantasie, tentavo di cullarmi, mi cantavo le ninne nanne, cercavo di addormentarmi ed ero tutto sudato per lo sforzo. Aguzzavo gli occhi nel buio: un buio simile non l'avevo mai visto. Non c'era dubbio: mi trovavo in un genere speciale di oscurità, in un elemento disperato che nessuno aveva mai osservato fino allora. La mia mente era occupata dai pensieri più ridicoli e ogni cosa m'incuteva spavento. Mi scervellavo per un buco che avevo trovato nella parete accanto al letto, il buco di un chiodo, un segno nel muro. Vi soffiai dentro e cercai di indovinarne la profondità. Oh, quello non era certo un buco innocuo, tutt'altro! Era un buco misterioso, perfido, dal quale dovevo guardarmi. Ossessionato da questa idea, fuori di me per la curiosità e la paura, dovetti infine alzarmi e cercare il temperino finché non lo trovai. Così potei misurare la profondità del buco e assicurarmi che non attraversasse il muro fin nella cella attigua.

Mi coricai di nuovo e tentai di addormentarmi, ma in realtà continuai a lottare contro le tenebre. Aveva cessato di piovere... non si udiva alcun rumore. Per un po' stetti in ascolto, sperando di sentire un passo nella strada e fui contento solo quando udii passare qualcuno; a giudicare dall'andatura doveva essere una guardia. A un tratto mi misi a schioccare le dita e a ridere. Per tutti i diavoli, avevo inventato, avevo scoperto una parola nuova! Evviva! Mi sollevai e dissi: «Questa non esiste nel dizionario. L'ho inventata io! Cuboaa. È composta di lettere come se fosse una parola vera. Pensa, figlio mio, che hai inventato una parola! Cuboaa... Molto importante nella grammatica».

E come la vedevo chiaramente, quella parola, nell'oscurità!

Seduto sul letto, con gli occhi sbarrati, stupito della mia trovata, ridevo dalla gioia. Poi abbassai la voce fino a bisbigliare. Qualcuno poteva origliare mentre invece volevo conservare la mia invenzione nel massimo segreto. Ma era la follia causata dalla fame! Ero vuoto, non sentivo dolori e i miei pensieri volteggiavano senza freno. Tra me incominciai a riflettere e passando stranamente da un'idea all'altra cercai di scoprire il significato della mia nuova parola. Non era affatto necessario che significasse Dio o ristorante, e chi pretendeva che significasse serraglio? Strinsi i pugni arrabbiato e ripetei: chi ha detto che deve significare serraglio? A guardar bene non occorreva neanche che significasse lucchetto oppure aurora. Eppure non doveva essere difficile dare il significato a una parola simile. Un momento, un momento! Intanto potevo dormirci sopra tranquillamente.

E seduto sul paglericcio ridacchiavo silenziosamente senza pronunciarmi né pro né contro. Ma dopo qualche minuto divenni nervoso: la parola nuova mi dava fastidio, mi risonava in mente di continuo e finì per impadronirsi interamente dei miei pensieri. La cosa diventava seria. Avevo pensato bensì a quel che non doveva significare, ma non avevo preso ancora nessuna decisione sul suo vero significato. È una questione secondaria, dissi a voce alta e, stringendomi il braccio, ripetei che quella era una questione secondaria. La parola, grazie a Dio, l'avevo trovata e questo era ciò che contava. Ma quel pensiero continuava a torturarmi e non mi lasciava prender sonno. Nessun significato mi pareva adeguato a una parola così rara. Infine mi sollevai di nuovo, mi presi la testa fra le mani e dissi: No, è assolutamente impossibile attribuirle il significato di emigrazione o di manifattura tabacchi. Se potesse significare una cosa simile, l'avrei già deciso da un pezzo e ne avrei accettato le conseguenze. La parola invece sembrava fatta apposta per indicare qualcosa di incorporeo, un sentimento, uno stato d'animo... possibile che non me ne fossi accorto subito? E mi scervellai in cerca di qualcosa di immateriale. A un tratto ebbi l'impressione di udir parlare qualcuno, di sentirmi interrompere, sicché esclamai adirato: «Che cosa vuoi?». Un idiota come te non è facile trovarlo! Refe? Va' all'inferno! Perché dovrei essere obbligato a farla significare refe, se provo una vera ripugnanza per questo significato? La parola l'avevo inventata io e avevo tutto il diritto di farla significare quel che pareva a me. E per quanto ne sapevo, fino a quel momento non mi ero ancora pronunciato...

Il mio cervello era sempre più confuso. Infine balzai dal letto e cercai a tentoni il rubinetto dell'acqua. Non che avessi sete, ma la testa mi ardeva dalla febbre e avevo un istintivo desiderio di acqua. Dopo aver bevuto ritornai a letto e mi appellai a tutta la mia forza di volontà per addormentarmi. Chiusi gli occhi e mi costrinsi a stare tranquillo. Rimasi così per alcuni minuti, immobile, e incominciai a sudare: sentivo il sangue che mi fluiva nelle vene. Era buffo: aveva cercato il denaro in quel rotolo e aveva tossito una volta sola. Chi sa se passeggiava ancora laggiù? O era seduto sulla mia panchina... La madreperla azzurra... Le navi...

Aprii gli occhi. Non potevo certo tenerli chiusi se non riuscivo a addormentarmi. E intorno a me covava sempre la stessa oscurità, quella stessa eternità nera e imperscrutabile, contro la quale si inalberavano i miei pensieri incapaci di afferrarla. Con che cosa potevo paragonarla? Feci sforzi disperati per trovare una parola abbastanza grande per definire quel buio, una parola così crudelmente nera da annerire la mia bocca quando l'avessi pronunciata. Dio mio, com'era buio! E già rivedevo il porto e le navi, i mostri neri che mi aspettavano: mi avrebbero attirato e trattenuto e con me avrebbero navigato per mari lontani, in regni tenebrosi non mai veduti da alcuno. Ecco: ero a bordo... mi portavano via sull'acqua... mi libravo tra le nubi... e scendevo, scendevo...

Gettai un grido, un grido di spavento e mi aggrappai al letto. Avevo fatto un viaggio pericolosissimo, il vento mi aveva portato per l'aria come un fagotto vuoto. Che sollievo quando mi aggrappai al mio duro giaciglio! Ecco, morire è così, mormorai, e ora dovrò morire. Stetti così qualche tempo pensando soltanto a questo: che a momenti sarei morto. Ma poi mi alzai a sedere e domandai con voce aspra: «Chi ha detto che adesso devo morire? Come inventore della parola ho tutto il diritto di stabilire io stesso che cosa debba significare...». E mi udivo fantasticare, udivo le mie parole. La mia stravaganza era un delirio di debolezza e sfinimento, ma ero cosciente. E come un lampo mi balenò nel cervello l'idea che fossi impazzito. Atterrito saltai dal letto. Cercai la porta, tentai di aprire, mi lanciai con violenza contro di essa per abbatterla, battei la testa contro il muro, mi morsi le dita, piansi e bestemmiai...

Nulla si mosse. Soltanto la mia voce echeggiava nella stanza. Ero caduto per terra nel mezzo della cella, non avevo più la forza di girare intorno all'impazzata. Ed ecco baluginare qualche cosa lassù in alto... davanti agli occhi: come un quadrato bigio nella parete, un barlume biancastro... un presentimento: la luce del giorno! Oh, che respiro di sollievo! Mi distesi sul pavimento e piansi di gioia a quel barlume benedetto, singhiozzai di gratitudine e andai a baciare i vetri della finestra come un pazzo. Ma anche in quel momento ero conscio di ciò che facevo. Sparita ogni contrarietà, sfumata la disperazione, placato il tormento, non avevo più alcun desiderio inappagato. Mi inginocchiai, giunsi le mani e attesi paziente lo spuntar del giorno.

Che notte avevo passato! Come mai, pensavo meravigliato, nessuno aveva udito il rumore? Già, ero nel reparto riservato, in alto, al disopra degli altri detenuti. Un ministro senza tetto, per così dire. Ero di buon umore e fissando gli occhi sui vetri che diventavano a mano a mano più chiari mi divertivo a darmi arie da ministro, mi chiamavo von Tangen e parlavo in stile burocratico. Avevo smesso di fantasticare. Non ero più tanto nervoso. Non avessi commesso la deplorevole spensieratezza di lasciare a casa il portafoglio! Potevo intanto avere l'onore di condurre a letto il signor ministro? Con la massima serietà, tra molte cerimonie mi avvicinai al giaciglio e mi coricai.

Ormai era abbastanza chiaro per distinguere i contorni della cella. Notai alla porta l'enorme maniglia e fu una distrazione. L'oscurità monotona e impenetrabile che mi aveva tanto irritato perché non potevo vedere neanche me stesso, era ormai rotta. Il mio sangue si calmò, e presto sentii che gli occhi mi si chiudevano.

Due colpi bruschi alla porta mi svegliarono. Balzai tosto dal letto, mi vestii in fretta. I miei abiti erano ancora bagnati dal giorno prima.

«Presentatevi all'ufficiale di turno» mi disse la guardia.

«Ahi, nuove formalità!» pensai impaurito.

Di sotto entrai in uno stanzone dove erano raccolte trenta o quaranta persone, tutte senza tetto. Venivano chiamate per nome l'una dopo l'altra e ciascuna riceveva un tagliando per il pasto. A ogni chiamata l'ufficiale domandava a una guardia: «Ha avuto il tagliando? Mi raccomando. Pare che tutti costoro abbiano bisogno di un pasto».

Io guardavo i tagliandi... con la speranza di riceverne uno.

«Andreas Tangen, giornalista».

Mi avanzai e feci un inchino.

«Caro, come mai anche voi da queste parti?».

Gli spiegai la situazione, raccontai la storia della sera prima, mentii senza batter ciglio, con convinzione: purtroppo ero rimasto fuori a lungo al caffè, avevo perduto la chiave di casa...

«Già, già» disse sorridendo. «Cose che capitano. Avete dormito bene almeno?».

«Come un ministro,» risposi «come un ministro».

«Molto lieto» esclamò lui alzandosi. «Buon giorno».

E me ne andai.

Un tagliando. Un tagliando anche per me! Non mangio da tre giorni e tre notti. Un pezzo di pane. Ma nessuno mi diede il tagliando e io non ebbi il coraggio di chiederlo. Avrei destato sospetti; mi avrebbero chiesto i documenti e si sarebbe saputo chi ero in realtà. Mi avrebbero arrestato per aver dato le generalità false. A testa alta, con un'aria da milionario, le mani in tasca, lasciai lentamente il Municipio.

Il sole era già alto, erano le dieci e il traffico nello Youngstorv era già molto intenso. Dove potevo andare?

Misi la mano in tasca per sentire se avevo il manoscritto. Alle undici intendevo andare dal redattore. Mi appoggiai un po' alla balaustrata del Municipio e stetti a osservare il traffico. Il mio vestito incominciò ad asciugare. La fame si fece sentire nuovamente rodendomi lo stomaco, uggiolando e pungendomi come con spilli sottili. Faceva male. Ma non avevo proprio nessun amico, nessun conoscente a cui rivolgermi? Pensa e ripensa cercai un uomo che potesse darmi dieci centesimi... ma non trovai nessuno. Che magnifica giornata! Quanto sole, quanta luce intorno a me! Il cielo scorreva come un mare luminoso sopra le alture di Lier...

Senza pensare arrivai a casa.

Nel tormento della fame avevo raccolto per la strada un pezzetto di legno e mi ero messo a masticarlo. Mi fece bene. Come mai non ci avevo pensato prima?

Il portone era aperto. Come al solito lo stalliere mi diede il buon giorno.

«Bel tempo oggi» disse.

«Sì» replicai. Non seppi dire altro. E se l'avessi pregato di prestarmi una corona? Se avesse potuto, l'avrebbe fatto volentieri. E poi, una volta avevo scritto per lui una lettera.

Appariva impacciato, come volesse dire qualche cosa. E disse:

«Bel tempo, sì. Oggi devo pagare la padrona di casa. Vi dispiacerebbe prestarmi cinque corone? Sapete, soltanto per un paio di giorni. Già un'altra volta mi avete fatto un favore».

«Purtroppo non posso, Jens» risposi. «Adesso no. Forse più tardi, forse nel pomeriggio». E salii faticosamente nella mia stanza.

Là mi gettai sul letto ridendo. Che fortuna! Jens

mi aveva prevenuto. Il mio onore era salvo. Cinque corone! Dio benedetto, avrebbe potuto chiedermi anche cinque azioni della cucina popolare o un maniero ad Aker.

Cinque corone! Mi sbellicavo dal ridere. Non ero un uomo in gamba? Cinque corone! Avevo bussato proprio all'indirizzo giusto. E la mia allegria cresceva e la lasciavo sfogare. Uh, che odore di cibi qua dentro! Un vero e proprio odore di cotolette dopo la colazione. Aria! E spalancai la finestra perché uscisse quella puzza insopportabile. Cameriere, una bistecca! E volgendomi verso la tavola, quella misera tavola che quando scrivevo dovevo reggere con le ginocchia, feci un profondo inchino e domandai: «Scusate, desiderate un bicchiere di vino? No? Io sono Tangen, il ministro Tangen. Ieri sera purtroppo sono rimasto fuori fino a tardi... la chiave di casa...».

E i miei pensieri fuggirono di nuovo a briglia sciolta. Capivo benissimo che dicevo cose incoerenti, ma non pronunciavo una parola che non capissi chiaramente. Ecco, dicevo tra me, adesso faccio di nuovo chiacchiere sconnesse. Ma non ne avevo colpa. Mi pareva di essere desto e di parlare nel sonno. Avevo la testa leggera, senza dolori, senza oppressioni, e dentro di me si apriva un cielo senza nubi. E veleggiavo senza opporre resistenza.

Avanti! Sì, venga pure avanti! Come vede, qui tutto è tempestato di rubini. Ylajali, Ylajali! Oh, quel divano soffice di seta rossa! E com'è agitato il respiro di lei! Baciami, cara, ancora, ancora. Le tue braccia sono come l'ambra, le tue labbra ardono... Cameriere! E la bistecca?...

Dalla finestra entrava il sole. Nella stalla udivo i cavalli frangere l'avena. E io masticavo il pezzetto di legno, soddisfatto e contento come una pasqua. Continuamente tastavo il manoscritto, ma non ci pensavo affatto. L'istinto mi diceva che c'era ancora; il mio sangue me lo ricordava.

Lo presi dalla tasca e vidi che era bagnato. Perciò

lo stesi al sole. Poi mi misi a passeggiare per la stanza. Che scena sconsolata! Ritagli di latta sul pavimento, non una sedia, non un chiodo sui muri nudi. Tutto era stato impegnato e trasformato in cibo. Unico mio possesso erano quei pochi fogli di carta sulla tavola coperta di polvere. La vecchia coperta verde sul letto me l'aveva prestata Hans Pauli pochi mesi prima... Giusto, Hans Pauli! E schioccai le dita. Hans Pauli Pettersen doveva aiutarmi! Ne ricordavo l'indirizzo. Come avevo potuto dimenticare Hans Pauli? Certamente si sarebbe offeso perché non mi ero rivolto subito a lui. Presi il cappello, ripiegai il manoscritto e scesi le scale di corsa.

«Ehi, Jens» gridai nella stalla. «Sono quasi sicuro di potervi prestare qualche cosa prima di sera!».

Giunto al Municipio vidi che erano le undici passate. Decisi quindi di salire subito in redazione. Davanti alla porta mi fermai a controllare se il manoscritto era ben numerato e ordinato. Lo lisciai alla meglio, me lo rimisi in tasca e bussai. Mentre entravo, sentivo che il cuore mi pulsava in gola.

C'era Forbici, ma non mi vide. Chiesi timidamente del redattore capo. Nessuna risposta. Frugava col suo lungo strumento tagliente tra giornali di provincia. Ripetei la domanda e mi avvicinai.

«Il redattore capo non è ancora venuto» disse finalmente senza alzare gli occhi.

«Quando verrà?».

«Non saprei, non so davvero».

«Fino a che ora è aperta la redazione?».

Non ricevetti nessuna risposta. Dunque potevo andarmene. In tutto quel tempo il buon uomo non mi aveva degnato di uno sguardo. Mi aveva riconosciuto dalla voce. Qui dunque, pensavo, hanno di me un'opinione così cattiva che non credono neanche necessario rispondere. Lo facevano per ordine del redattore capo? È vero che dopo la pubblicazione del mio famoso articolo da dieci corone lo avevo perseguitato con i miei scritti, lo avevo aggredito quasi ogni giorno con roba inservibile che era costretto a leggere e a restituirmi. E ora voleva farla finita e certo aveva preso le sue misure...

Me ne andai nel quartiere di Homansby.

Hans Pauli Pettersen era uno studente venuto dalla campagna e viveva in una soffitta, a un quinto piano. Dunque era un povero diavolo. Ma se avesse posseduto una corona, non si sarebbe fatto pregare. Me l'avrebbe data, ne ero sicuro come se l'avessi già in tasca. E l'aspettavo con grande gioia, quella corona: l'avrei avuta senza dubbio. Trovai la porta chiusa e dovetti suonare.

«Devo parlare con lo studente Pettersen» dissi, e feci per entrare. «So la stanza».

«Lo studente Pettersen?» ripeté la ragazza. «Quello che abitava all'ultimo piano? Ha traslocato». Non sapeva dove, ma egli l'aveva pregata di mandargli la corrispondenza da Hermansen nella Toldbodgate. E disse il numero.

Andai pieno di fede e di speranze nella Toldbodgate per chiedere l'indirizzo di Hans Pauli. Era l'ultima risorsa e bisognava sfruttarla. Durante il tragitto passai davanti a una casa in costruzione. C'erano due falegnami che piallavano. Presi un paio di trucioli freschi, ne misi uno in bocca e ficcai l'altro in tasca per più tardi. E proseguii torcendomi dalla fame. Nella vetrina di un fornaio avevo visto un pane da dieci centesimi, straordinariamente grande, il pane più grande che si potesse avere a quel prezzo...

«Vengo a chiedere l'indirizzo dello studente Pettersen».

«Bernt Ankers Gate numero 10 all'ultimo piano». Andavo da lui? Allora potevo anche fare il piacere di recapitargli un paio di lettere che erano arrivate.

Tornai indietro, rifeci quasi la stessa strada di prima, rividi i due falegnami: ora tenevano il pentolino fra le ginocchia e mangiavano la buona minestra calda della cucina popolare. Passai davanti al fornaio, vidi il pane al posto di prima e infine morto di stanchezza raggiunsi la Bernt Ankers Gate. La porta era aperta sicché mi arrampicai faticosamente per le scale fino al solaio. Presi le lettere per mettere subito Hans Pauli di buon umore. Certamente non mi avrebbe rifiutato il favore, quando gli avessi spiegato le circostanze. Hans Pauli aveva un cuore d'oro, io l'avevo sempre detto...

Attaccato alla porta trovai il suo biglietto di visita: «H.P. Pettersen, stud. di teologia. Ritornato al paese».

Mi sedetti sul pavimento, stanco, affranto da tante delusioni. E dissi più volte come inebetito: Ritornato al paese! Ritornato al paese! Poi tacqui senza aggiungere altro. I miei occhi non avevano lagrime, la mia mente non aveva pensieri né sentimenti. Con gli occhi spalancati fissavo le lettere senza prendere alcuna risoluzione. Passarono così dieci minuti, forse venti, forse di più. Me ne stavo là immobile. Quasi dormivo. A un tratto udii un rumore di passi sulla scala. Mi alzai e dissi: «Cercavo lo studente Pettersen. Ho qui due lettere per lui».

«È partito, è andato al suo paese» rispose la donna. «Ma ritorna dopo le vacanze. Può dare a me le lettere... se crede».

«Benissimo, grazie. Così le riceve appena ritorna. Potrebbe esserci qualche cosa d'importante. Buon giorno».

Quando mi ritrovai fuori, mi fermai in mezzo alla strada e stringendo i pugni dissi forte: «Caro Padre Eterno, ti voglio dire una cosa: sei un poco di buono!». E mordendomi le labbra tesi le braccia contro le nuvole: «Sì, il diavolo mi porti, un poco di buono!».

Feci alcuni passi e mi fermai di nuovo. Cambiando improvvisamente tutto il mio atteggiamento, giunsi le mani, reclinai la testa e mi domandai con voce melliflua e ipocrita: «Ma, figlio mio, ti sei mai rivolto a lui?».

No, non così.

«Con l'elle maiuscola» dissi. «Con un'elle alta

quanto il duomo. Ripeti dunque: Ti sei mai rivolto a Lui, figlio mio?». E piegando la testa risposi con voce rattristata: «No».

No, nemmeno così.

«Vedi, sciocco, non sei capace di fingere. Sì, devi dire, sì, ho invocato il mio Dio! E nel pronunciare le tue parole devi assumere il tono più piagnucoloso che tu abbia mai sentito. Ripeti dunque! Sì, va già meglio. Ma devi sospirare, sospirare come un cavallo malato di petto. Via!».

Continuai per la mia strada impartendomi lezioni e pestando forte i piedi con impazienza quando non stavo attento, dandomi della testa di cavolo... mentre tutti i passanti si voltavano a guardarmi meravigliati, scotendo il capo.

Continuavo a masticare il truciolo e mi trascinavo per le strade meglio che potevo. E più presto di quanto immaginassi mi trovai nel piazzale della stazione. L'orologio della chiesa del Redentore faceva l'una e mezzo. Mi fermai un momento a riflettere. Il sudore mi scorreva pigramente dalla fronte e mi andava negli occhi. Vuoi che facciamo un giretto nel porto? dissi tra me, ma soltanto se hai tempo! E m'inchinai davanti a me stesso scendendo poi verso il molo.

Le navi erano al largo e il fiordo si cullava al sole. Movimento dappertutto, sirene urlanti, facchini che portavano casse, e il canto allegro degli stivatori sulle chiatte. Vicino a me c'era una venditrice di dolci col naso bruno che pendeva sulla merce. Il suo banchetto era sfacciatamente coperto di leccornie. Disgustato volsi lo sguardo. Quel lezzo dolciastro appestava tutto il molo. Che porcheria! Aprite le finestre! Mi rivolsi a un signore che era seduto accanto a me e gli feci notare con insistenza il numero sproporzionato di venditrici di dolci... vero? Doveva pur ammettere che... Ma il brav'uomo fiutò odor di polvere e non mi lasciò neanche finire: si alzò e andò via. Io feci altrettanto e gli andai dietro risoluto a dimostrargli che aveva torto.

«Anche in considerazione delle condizioni igieniche» gli dissi toccandogli una spalla.

«Scusate tanto,» disse guardandomi impaurito «io sono forestiero e non ho un'idea delle condizioni sanitarie locali».

«Allora è un'altra cosa». Ma non potevo essergli utile in qualche modo? Mostrargli la città? Per me sarebbe stato un piacere e a lui non costava nulla.

Ma quello non vedeva l'ora di sbarazzarsi di me e attraversò la strada verso l'altro marciapiede.

Io tornai indietro e mi sedetti sulla panchina. Ero molto inquieto e l'organetto che sonava poco distante mi rendeva ancor più insofferente. Era una musica metallica ritmata, non so che cosa di Weber, e una ragazzina vi accompagnava una canzone malinconica. La cantilena lamentosa dell'organetto mi entrava nel sangue, mi dava ai nervi, li faceva vibrare tutti insieme, e dopo un po' mi appoggiai alla spalliera accompagnando anch'io quel canto a bocca chiusa. A che punto si arriva quando si ha fame! Mi sentii leggero, come dissolto in quelle note e percepivo chiaramente che scivolavo via librandomi sopra i monti, danzando sopra zone di luce...

«Un centesimo!» disse la piccola dell'organetto tendendo il piattino di latta «un centesimo solo!».

«Subito» dissi istintivamente, e alzatomi in piedi mi frugai nelle tasche. La piccola credette che la pigliassi in giro e si allontanò svelta senza dire una parola. Quella muta indulgenza era troppo, era troppo per me. Se mi avesse insultato, mi avrebbe fatto un piacere.

Provai un dolore acuto e la richiamai: «Sai, oggi non ho un centesimo, ma non ti dimenticherò. Forse domani. Come ti chiami?... Bel nome. Stai sicura che mi ricorderò di te. A domani dunque».

Ma mi accorsi che non mi credeva e piansi dalla disperazione perché quella ragazzaccia non voleva credermi. La chiamai un'altra volta, e mi sbottonai la giacca per darle il panciotto. «Voglio darti qualche cosa. Aspetta un momento...».

Ma non avevo il panciotto.

Come mi era venuto in mente di cercarlo? Non lo possedevo già da più settimane. Che cosa succedeva nella mia mente? La fanciulla che pareva spaventata non aspettò altro e corse a raggiungere l'organetto. Così dovetti lasciarla andare. Intorno a noi si erano raccolti alcuni curiosi che ridevano forte; una guardia s'infilò nel crocchio domandando che cosa fosse successo.

«Niente» risposi. «Assolutamente niente. Volevo offrire a quella piccola il mio panciotto... per suo padre... Non c'è niente da ridere. Potrei anche andare a casa e indossarne un altro».

«Niente schiamazzi nella strada!» esclamò la guardia. «Avanti, via!» e mi diede uno spintone. «Queste carte sono roba vostra?» mi gridò dietro.

«Oh diavolo, il mio articolo per il giornale! Sono documenti importanti! Come ho potuto essere così sbadato?».

Riebbi il manoscritto, mi assicurai che ci fossero tutti i fogli e senza voltarmi indietro corsi difilato in redazione. L'orologio del Redentore segnava le quattro.

La redazione era chiusa. Ridiscesi le scale di soppiatto come un ladro e mi fermai sconcertato davanti al portone. Che fare? Mi appoggiai al muro e sforzandomi di pensare fissai lo sguardo sul marciapiede. Ai miei piedi c'era una spilla da balia. E come luccicava! Mi chinai a prenderla. E se avessi staccato i bottoni della giacca? Quanto avrei potuto ricavare? Ma forse era inutile. I bottoni sono bottoni. Ma io li osservai da tutti i lati e mi sembrarono quasi nuovi. Era dunque una bella idea. Potevo staccarli col temperino e impegnarli. La speranza di poter vendere quei cinque bottoni mi rianimò e mi fece esclamare: Sta' a vedere che le cose si aggiustano! Com'ero contento! Immediatamente incominciai a staccare un bottone dopo l'altro e intanto dicevo tra me: Ecco, vedete? sono diventato povero, mi trovo in imbarazzo momentaneamente... Consumati, dite? La parola vi è sfuggita. Vorrei vedere uno che abbia cura dei bottoni come me. Tengo sempre la giacca aperta, vi assicuro. Ormai è una mia abitudine... una mia particolarità. Ma non li volete proprio? Vedete, io chiedo almeno dieci centesimi per questi bottoni... Dio mio, chi ha detto che dobbiate prenderli voi? State zitto, lasciatemi stare!... Va bene, andate pure a chiamare la polizia. Aspetterò qui finché trovate una guardia... non voglio mica derubarvi. State pure tranquillo. Buon giorno, dunque. E se lo volete sapere, io mi chiamo Tangen... Sono stato fuori a lungo...

Qualcuno sale le scale. Ritorno alla realtà. È Forbici che, mentre mi metto rapidamente i bottoni in tasca, passa oltre senza neanche rispondere al mio saluto e si guarda le unghie con molta attenzione. Lo fermo e gli domando se c'è il redattore capo.

«Non c'è».

«Voi mentite» esclamo, e con una sfacciataggine che stupisce anche me continuo: «Devo parlargli. Si tratta di cose gravi. Ho notizie importanti dal Ministero».

«E non potete dirle a me?».

«A voi?» esclamai guardandolo dall'alto in basso.

Ciò fece effetto. Egli mi accompagnò su per le scale e aprì la porta. Mi sentivo il cuore in gola e stringendo i denti con forza per farmi coraggio bussai ed entrai nello studio del redattore capo.

«Buon giorno. Che c'è di nuovo?» disse cortesemente. «Prego, accomodatevi».

Avrei preferito che mi buttasse fuori. Sentendo che mi veniva da piangere dissi: «Vi chiedo scusa...».

«Ma sedetevi!» ripeté.

Mi sedetti e gli spiegai che avevo portato un altro articolo e mi sarebbe piaciuto che fosse accolto nel giornale. Avevo lavorato intensamente e mi era costato molta fatica.

«Va bene, lo leggerò» disse il redattore prendendo l'articolo. «Certo, quando scrivete impegnate tutte le vostre forze. Ma siete troppo irruente! Avete il sangue troppo bollente. Meno bollori, sarebbe meglio. C'è sempre troppa febbre. Tuttavia lo leggerò volentieri». E riprese a scrivere.

Ecco dunque: potevo arrischiare di chiedergli una corona? potevo forse spiegargli perché c'era sempre troppa febbre? In tal caso mi avrebbe certamente aiutato. Non era la prima volta.

Mi alzai. L'ultima volta che ero stato da lui si era lamentato perché era a corto di denaro e aveva persino mandato il cassiere a raggranellare qualche cosa per me. Così avrebbe forse fatto anche questa volta. Ma no, no assolutamente no. Non vedevo che era occupato?

«Desiderate altro?».

«No» dissi con fermezza. «Quando posso ripassare?».

«Oh, quando capita da queste parti» rispose. «Diciamo fra un paio di giorni».

Non riuscivo a fare la mia richiesta. La cortesia di quell'uomo mi pareva senza limiti, sicché avevo il sacrosanto dovere di tenerne conto. Piuttosto morire di fame! E uscii.

E neanche quando mi trovai fuori senza sapere dove battere il capo, neanche allora mi rammaricai di aver lasciato la redazione senza una corona. Levai di tasca il secondo truciolo e me lo ficcai in bocca. L'effetto fu buono. Perché non ci avevo pensato prima? «Vergogna!» dissi a me stesso. «Saresti forse stato capace di chiedere a quell'uomo una corona e di metterlo ancora in imbarazzo?». E mi infuriai sempre più contro me stesso per la mia spudoratezza. «Non ho mai visto una grettezza simile! Gli piombi in casa e gli cavi quasi gli occhi perché ti occorre una corona, cane miserabile! Via, adesso! Fila! Più svelto, lazzarone! T'insegnerò io!».

E mi misi a correre per punirmi. Passai di corsa da una strada all'altra imprecando contro di me, insultandomi quando cercavo di fermarmi. Così arrivai nella Pilestraede. Quando infine mi fermai, quasi piangendo di rabbia, perché non potevo più correre, tremavo tutto e mi abbandonai su uno scalino.

«No, signore!» esclamai. E per torturarmi ancora mi alzai di nuovo e mi costrinsi a stare in piedi ridendo di me stesso e deliziandomi alla vista della mia fatica. Infine dopo alcuni minuti feci un cenno del capo e mi diedi il permesso di sedermi. Ma scelsi il punto più scomodo della scala.

Come era bello poter riposare! Mi asciugai il sudore e respirai lentamente e profondamente. Quanto avevo corso! Ma non ero pentito, l'avevo meritato. Perché mi era venuto in mente di chiedere una corona a prestito? Ecco ora le conseguenze. Mi feci un discorso calmo con molte raccomandazioni, come avrebbe parlato una madre. Fui sempre più commovente finché, stanco e spossato, incominciai a piangere: era un pianto tranquillo, fervido, un singhiozzare interiore, senza lagrime.

Stetti così un quarto d'ora o più. La gente andava e veniva e nessuno mi dava noia. I bambini giocavano qua e là, un uccello cantava su un albero.

Una guardia mi si avvicinò e domandò: «Perché state seduto qui?».

«Perché sto qui? Perché mi fa piacere».

«Vi osservo da mezz'ora. Siete stato qui per mezz'ora».

«Sì, all'incirca» risposi. «Desiderate altro?». Mi alzai e mi allontanai indignatissimo.

In mezzo alla piazza mi fermai e guardai indietro. Perché mi fa piacere! Era una risposta da dare? Perché ero stanco, avrei dovuto rispondere, e con voce piagnucolosa. Sono proprio un imbecille. Non imparerò mai a fingere... Perché ero stanco! E avrei dovuto sospirare come un cavallo.

Vicino alla caserma dei pompieri mi fermai di nuovo: mi era venuta un'altra idea! Schioccai le dita e mi misi a ridere. La gente che passava mi guardava con stupore. «Ecco, adesso vado dal pastore Levison! Per Dio, è questo che devo fare! Provare non mi costa niente, che cosa ho da perdere? E con questo tempo splendido...».

Entrai nella libreria di Pascha, cercai nella guida l'indirizzo del pastore Levison e mi avviai. Coraggio, ora! Non più sciocchezze! Come? La coscienza? Scempiaggini. Sono troppo povero per occuparmi della coscienza. Sono affamato, sissignore, affamato, si tratta dunque di una cosa importante. Ma bisogna piegare il capo e trovare il tono giusto. Perché no? Allora è inutile andare avanti. Ricordati! Come? Non sai a che santo votarti, combatti di notte come un matto con le potenze delle tenebre e coi mostri silenziosi, soffri la fame e la sete, vorresti vino e latte e non ottieni niente? Sei già arrivato a questo punto. Ecco che non hai neanche una goccia d'olio nella lucerna. Ma credi nella grazia celeste e, se Dio vuole, non hai perduto la fede! Dunque non hai che da giungere le mani e assumere l'aspetto di un satanasso che abbia fede nella grazia del cielo. E in quanto a Mammona, ne hai naturalmente ribrezzo in qualunque forma si presenti. Una cosa diversa sarebbe un libro di preghiere, un ricordo che potrà valere un paio di corone...

Davanti alla porta del pastore mi fermai e lessi: «Riceve dalle 12 alle 4».

«Ora non fare sciocchezze!» dissi fra me. «Ora bisogna fare sul serio. Abbassa la testa, da bravo, ancora un poco...» e tirai il campanello.

«Vorrei parlare col signor pastore» dissi alla ragazza, ma non fui capace di pronunciare il nome di Dio.

«È uscito» rispose.

Uscito! Uscito! Il mio piano andava a rotoli e non sapevo come cavarmela. Avevo fatto tutta quella strada per niente.

«Si tratta di una cosa importante?» domandò la giovane.

«No, no,» risposi «nulla d'importante. Visto il bel

tempo mi è venuta l'idea di venire a trovare il signor pastore».

Stavamo uno di fronte all'altro. Io spinsi il petto in fuori per farle notare la spilla che mi chiudeva la giacca. Tentai di pregarla con gli occhi e di farle capire perché ero venuto. Ma la poveretta non capì.

«Che tempo magnifico! Potrei parlare con la signora?».

«Sì, ma ha l'artrite, è coricata sul divano e non può muoversi... Desidera che riferisca qualche cosa?».

No, non importava. Di quando in quando mi concedevo simili passeggiate per fare un po' di moto: dopo mangiato fa bene alla salute.

Visto che la conversazione non approdava a nulla presi la via del ritorno. Mi pareva di avere le vertigini. Per poco non svenni. Riceve dalle 12 alle 4! Ero arrivato un'ora troppo tardi. Il momento della grazia era passato.

Nella piazza del mercato mi sedetti su una delle panchine presso la chiesa. Il mio orizzonte incominciava a farsi buio davvero. Ero troppo stanco per piangere. Stavo là, estenuato, come impietrito, incapace di pensare. Mi sentivo il petto in fiamme. Anche il truciolo diventava inutile. Avevo le mascelle stanche: a che giovava quella sterile fatica? Perciò le lasciai in pace e mi arresi. Oltre a ciò mi aveva fatto male una buccia d'arancia che avevo raccolto per la strada. Ero ammalato. Le vene dei polsi erano tutte gonfie e azzurre.

Ma che cosa stavo aspettando? Ero andato in giro tutto il santo giorno sperando di trovare una corona per poter prolungare di qualche ora la mia vita. In fin dei conti non era la stessa cosa se ciò che doveva avvenire comunque avveniva un giorno prima o dopo? Se fossi stato un uomo ragionevole, mi sarei chiuso in casa da un pezzo e mi sarei arreso. In quei momenti avevo la mente perfettamente limpida. Capivo che bisognava morire. Era l'autunno, ogni cosa era già immersa nel letargo invernale. Avevo tentato tutti i mezzi, avevo sfruttato tutte, tutte le risorse. Accarezzavo con commozione questo pensiero e ripudiavo ogni speranza di salvezza bisbigliando tra me: Non vedi, sciocco, che stai già morendo? Si trattava di scrivere ancora un paio di lettere, di prepararmi al viaggio, di tenermi pronto. Volevo lavarmi ancora una volta da capo a piedi e rifare il letto per benino. Avrei posato la testa su quel paio di fogli bianchi, la cosa più pulita che mi fosse rimasta. E con la coperta verde potevo...

La coperta verde! In un baleno mi ridestai. Il sangue mi montò alla testa e il cuore incominciò a pulsare con violenza. Mi alzai e mi misi a camminare. Ero rinato alla vita e andavo ripetendomi continuamente: La coperta verde! La coperta verde! Affrettai il passo come se stessi inseguendo qualcuno e mi ritrovai presto nella mia officina di stagnino.

Senza esitare m'avvicinai al letto e arrotolai la coperta di Hans Pauli. Sarebbe stato davvero curioso se quella mia buona idea non mi avesse salvato! Ora mi sentivo davvero infinitamente superiore agli scrupoli ingenui che mi si destavano dentro. Posizioni superate! Non ero un fiore di virtù né uno stinco di santo, ero ancora capace di ragionare...

Presi la coperta e andai in Stenersgate al numero 5. Bussai e mi trovai in un salone sconosciuto. Sopra la mia testa il campanello faceva un fracasso d'inferno.

Da una stanza vicina uscì un uomo che masticava energicamente e si accostò al banco.

«Per favore, prestatemi mezza corona per questi occhiali!» dissi. «Tra un paio di giorni verrò certamente a riscattarli. Senza fallo».

«Come? No, grazie, sono occhiali d'acciaio».

«Già...».

«No, no, non posso prestare niente».

«Capisco. A dire il vero, la mia non voleva essere una proposta seria. Ma ho qui una coperta. Adesso non ne ho bisogno e ho pensato che forse potreste prenderla».

«Ho il magazzino strapieno di lenzuola e di coperte. Mi dispiace». E quando l'ebbi spiegata vi gettò soltanto uno sguardo e soggiunse: «No, mi rincresce, non so che farne».

«Vedete, ho fatto apposta a mostrarvi prima il lato brutto» osservai. «Dall'altra parte è molto migliore».

«Può anche darsi, ma non mi serve. Non la voglio. E non troverete nessuno che vi dia neanche dieci centesimi».

«Capisco anch'io che non ha nessun valore» spiegai. «Ma pensavo che si potesse forse metterla all'asta insieme con un'altra coperta vecchia».

«Già... Ma è inutile».

«Venticinque centesimi?» proposi.

«No, non la prendo in nessun caso. Non la voglio nel magazzino, neanche se me la regalate. Capito?».

Mi rimisi dunque la coperta sotto il braccio e ritornai a casa.

Feci come se nulla fosse stato, posai la coperta sul letto, la stesi e la lisciai alla meglio cercando di cancellare ogni traccia della mia ultima impresa. Certamente non avevo fatto uso della ragione nel momento in cui mi ero deciso a quel meschino espediente. Quanto più ci pensavo, tanto meno capivo. Dovevo aver agito in un attacco di debolezza, qualche cedimento dentro di me mi aveva preso alla sprovvista. E già prima di cadere nella trappola avevo intuito che avrei fatto fiasco. Perciò avevo incominciato dagli occhiali. Ero lieto di non essere riuscito a consumare il delitto. Avrei in tal modo contaminato le ultime ore di vita che mi rimanevano.

E ritornai in città.

Presso la chiesa del Redentore sedetti di nuovo su una panchina, mi appisolai un po' col mento sul petto, affranto da quell'ultimo sforzo, malato ed estenuato dalla fame. E il tempo scorreva.

Volevo passare quell'ora all'aperto. Fuori era più chiaro che in casa. Inoltre mi pareva che con quell'aria fresca lo stomaco mi tormentasse meno. A casa sarei ritornato sempre abbastanza presto.

Dormicchiavo e pensavo e soffrivo orribilmente. Avevo trovato un sassolino e, ripulitolo, me lo ero messo in bocca. Così avevo qualche cosa da succhiare. Del resto non mi movevo, non giravo nemmeno gli occhi. La gente andava e veniva, un fragore di ruote, di cavalli scalpitanti e di voci umane empiva l'aria.

Ma non potevo fare almeno un tentativo coi bottoni? Certo sarebbe stata una cosa inutile e poi stavo molto male. Ma a pensarci bene, ritornando a casa dovevo pur passare dal Monte dei pegni, da quello vero.

Infine mi alzai e mi trascinai faticosamente per le strade. Le palpebre incominciarono a bruciarmi. Si stava levando una burrasca di febbre. Cercai quindi di far presto. Dovetti passare di nuovo davanti al fornaio che aveva ancora quel gran pane nella vetrina. Adesso però non mi fermo, dissi con finta energia. E se fossi entrato a chiedere un pezzo di pane? Fu un pensiero rapido come un baleno. «Vergogna!» mormorai e scossi il capo. E andai avanti facendo dell'ironia su me stesso. Sapevo benissimo che era inutile entrare da un fornaio a chieder pane.

Nel Repslagergang vidi una coppia di innamorati che sussurravano fra loro. Un po' più in là una ragazza si sporse da una finestra. Io camminavo così lentamente e immerso nei miei pensieri che poteva sembrare avessi l'intenzione... e la ragazza scese nella strada.

«Che c'è, vecchio mio? Come? sei malato? Misericordia, che faccia avete!». E corse via.

Mi fermai: che faccia avevo? Stavo già morendo? Mi passai le mani sul viso: era scarno. Si capisce che ero magro. Le mie guance erano come due scodelle concave. E con questo? Andai avanti barcollando.

Ma poco dopo mi fermai di nuovo. Dovevo essere spaventosamente magro. E certo avevo gli occhi così infossati che pareva stessero per sparirmi nelle orbite da un momento all'altro. Che aspetto avevo veramente? Corpo del diavolo, occorreva proprio che la fame mi deturpasse a quel modo mentre ero ancora vivo? Ancora una volta fui preso da un impeto di collera... un'ultima vampata... un ultimo spasimo! «Misericordia, che faccia!». Eppure avevo un cervello che non aveva l'eguale in tutto il paese e certi pugni, che, Dio mi perdoni, potevano ridurre un facchino in polvere, in poltiglia; e crepavo di fame in piena Christiania! Era ragionevole? Giorno e notte avevo tirato la carretta come il ronzino di un prete di campagna. Mi ero cavato gli occhi a furia di studiare e spremuto il cervello a furia di digiuni. Con quale risultato? Mondo cane, persino le ragazze di strada pregavano il cielo di preservarle dalla mia vista. Ma ora bisognava finirla! Capito? Con l'aiuto del diavolo bisognava finirla! Nella mia impotenza digrignavo i denti, piangevo e bestemmiavo senza curarmi della gente che mi passava accanto. E ripresi a torturarmi, a battere la testa contro i fanali, e affondavo le unghie nel palmo delle mani, mi mordevo la lingua pazzamente quando sbagliavo una parola e ridevo come un matto se mi facevo male.

«Ma che cosa devo fare?» mi domandai infine. E pestando furiosamente i piedi ripetei: «Che cosa?». Un signore che passava mi rispose sorridendo: «Voi dovreste andare a farvi mettere in galera».

Lo seguii con gli occhi: era uno dei nostri più noti donnaioli, il 'Duca'. Nemmeno lui capiva la mia situazione, ed era un uomo che conoscevo, un uomo cui avevo stretto la mano. Mi calmai. In galera? Giusto, ero impazzito. Aveva ragione lui. Sentivo la pazzia nel sangue, me la sentivo divampare nel cervello.

Così dunque dovevo andare a finire? Già, già. E ripresi il mio passo lento e triste. Là dovevo dunque approdare. Improvvisamente mi riscossi e mi fermai. «No, farmi arrestare no, questo no!» dissi. Ed ero quasi rauco dallo spavento. Pregai e implorai di non essere arrestato. In tal caso sarei andato a finire ancora in Municipio dove mi avrebbero rinchiuso in una cella buia senza uno spiraglio di luce. Questo no, no! C'erano ancora altre vie che non avevo tentato. Bisognava provare. Mi proposi di essere più assiduo, di prendermi tempo per bussare infaticabilmente a tutte le porte. C'era, per esempio, Cisler, il negoziante di musica: da lui non ero ancora stato. Una soluzione l'avrei pur trovata... E continuai a discorrere con me stesso finché mi venne da piangere dalla commozione. Pur di non essere arrestato!

Cisler? Era forse un cenno che mi veniva dall'alto? Senza alcun motivo mi era venuto in mente quel nome e Cisler stava assai lontano, ma sarei andato da lui lo stesso. Potevo camminare lentamente e fermarmi a riposare di tanto in tanto. Sapevo dove abitava, ero stato là più volte e nei bei tempi avevo anche acquistato varie musiche. Dovevo chiedergli mezza corona? La richiesta non gli avrebbe dato fastidio? Forse era meglio chiedergli una corona intera.

Entrai nel negozio e chiesi del proprietario. Mi fecero entrare nell'ufficio. Egli era là vestito all'ultima moda, florido d'aspetto, occupato con le sue carte d'affari.

Balbettando domandai scusa ed esposi la mia richiesta. Costretto dalle circostanze dovevo rivolgermi a lui... Ma avrei restituito prestissimo... non appena ricevevo il compenso dei miei articoli... avrebbe fatto veramente una grande opera di carità...

Mentre ancora parlavo, egli si rivolse alla scrivania e continuò a lavorare. Quando ebbi finito, mi guardò di traverso, scosse la bella testa e disse: «No». Niente altro che no. Senza spiegazioni. Non una parola di più.

Le ginocchia mi tremavano paurosamente, sicché dovetti appoggiarmi al banco basso e lucido. Volli fare ancora un tentativo. Perché mai mi era venuto in mente il suo nome mentre mi trovavo all'altro capo della città? Provai più volte come una fitta vicino al cuore e incominciai a sudare. «Sto veramente male,» dissi «sono ammalato, purtroppo. Tra un paio di giorni al più tardi potrò restituire... Non volete essere così cortese?...».

«Mio caro, perché venite da me? Io non vi conosco affatto. Andate al giornale, dove vi conoscono».

«Soltanto per questa sera!» dissi. «La redazione è chiusa. E io ho tanta fame».

Egli si limitò a scuotere il capo e lo scoteva ancora quando stringevo già la maniglia.

«Arrivederci!» salutai.

Quello non era un cenno dall'alto, pensai sorridendo amaramente. Un cenno così potevo farlo eventualmente anch'io. Mi trascinai di strada in strada, di casa in casa, riposando ogni tanto su qualche scalino. Pur di non essere arrestato! La paura della cella mi perseguitava, non mi lasciava in pace un istante. Appena vedevo una guardia prendevo una via traversa per evitarla. Poi mi misi a contare cento passi proponendomi di tentare ancora una volta la fortuna. A un certo punto avrei trovato una soluzione...

Era un negozietto di lanerie: non vi ero mai entrato. Un uomo dietro il banco, in fondo l'ufficio, una targhetta di smalto alla porta, tavole e scaffali pieni di roba. Aspettai che l'ultima cliente uscisse; era una giovane signora con le fossette alle guance. Come pareva contenta! Non volli tentare di farle impressione... con quella mia spilla alla giacca... e perciò mi volsi dall'altra parte.

«Desiderate?» mi domandò il commesso.

«Potrei parlare col proprietario?».

«Sta facendo un viaggio in montagna, nel Jotunheim» rispose. «Si tratta di cosa importante?».

«Si tratta di un soldo per mangiare» dissi tentando di sorridere. «Ho fame e non ho un centesimo».

«Allora voi siete ricco come me» osservò cominciando a riordinare le matasse di lana.

«Non mandatemi via così... non adesso!...» dissi mentre mi sentivo gelare in tutto il corpo. «Vedete, sono quasi morto di fame. Non mangio da parecchi giorni».

Con molta serietà, senza dire una parola egli incominciò a rovesciare le tasche l'una dopo l'altra. Non volevo proprio credergli?

«Solo cinque centesimi,» implorai «tra qualche giorno ve ne restituisco dieci».

«Benedetto figliolo, volete che rubi dalla cassa?» fece con impazienza.

«Sì, sì, sì!» esclamai. «Prendete cinque centesimi dalla cassa!».

«Allora avete sbagliato indirizzo» concluse, e soggiunse ancora: «E ora basta, vero? Non abbiamo altro da dirci».

Uscii vacillando, morto di fame e rosso di vergogna. Bene, era ora di finirla. Ero sceso troppo in basso. Per tanti anni ero stato una persona per bene, avevo tenuto duro in momenti gravi e ora ero sceso fino al più volgare accattonaggio. Quella giornata aveva abbrutito la mia mente e macchiato tutta la mia vita. Non mi ero peritato di umiliarmi davanti al più misero mercante, ero arrivato alla querimonia e al piagnisteo. Con quali risultati? Avevo forse ottenuto una crosta di pane da mettere sotto i denti? Avevo ottenuto soltanto il ribrezzo di me stesso. Sì, era proprio ora di finirla. Tra poco si chiudeva il portone di casa e perciò dovevo affrettarmi se non volevo passare un'altra notte al Municipio.

Ritrovai l'energia perché al Municipio non ci volevo proprio andare. Tutto curvo, premendomi una mano sulle costole a sinistra per sentire meno le fitte che vi provavo e tenendo gli occhi fissi sul marciapiede per non costringere gli eventuali conoscenti a salutarmi, raggiunsi la caserma dei pompieri. Grazie al cielo, il campanile del Redentore segnava soltanto le sette: c'erano ancora tre ore fino alla chiusura del portone di casa. Ma come mi ero spaventato!

Non c'era tentativo che non avessi fatto. Avevo provato di tutto. Era ben strano che non mi riuscisse di passare felicemente una sola giornata! Se l'avessi raccontato, nessuno l'avrebbe creduto, e se l'avessi scritto, tutti avrebbero detto che era un'invenzione. Certo bisognava prendere le cose come venivano e soprattutto non abbandonarsi a sentimentalismi. È una cosa disgustosa, te lo dico io, non fai che renderti antipatico. Se non c'è speranza, non c'è speranza e tanto basta. Del resto, non potrei andare nella stalla a rubare una manciata di avena? Ecco un barlume! Sapevo bene che la stalla era chiusa.

Non me la presi e andai verso casa a passo di lumaca. Avevo sete, per fortuna per la prima volta in tutta la giornata, sicché andai in cerca di acqua potabile. Dalla caserma dei pompieri ero già troppo lontano e nelle case private non volevo entrare. Del resto potevo anche aspettare fino a casa. Ancora un quarto d'ora. E poi non era affatto sicuro che potessi digerire un sorso d'acqua. Lo stomaco non tollerava più nulla. Mi faceva male persino la saliva che inghiottivo camminando per le strade.

Oh, i miei bottoni! Non avevo ancora tentato. Mi fermai perplesso e non potei fare a meno di sorridere: forse era una trovata. Non ero ancora perduto del tutto. Ne avrei ricavato certamente dieci centesimi, l'indomani ne avrei ricevuto altri dieci in qualche altro modo e il giorno dopo sarebbe arrivato il compenso per l'articolo. Un po' di pazienza e tutto si sarebbe rimesso a posto! Ma come potevo aver dimenticato i bottoni? Li levai di tasca e li osservai camminando. Gli occhi mi s'incupivano dalla gioia; non vedevo più neanche la strada.

Come conoscevo bene quel grande sotterraneo, il mio rifugio nelle sere tenebrose, il mio amico, quella sanguisuga! Là erano scomparse tutte le mie cose pezzo per pezzo, tutti i piccoli ricordi di famiglia fino all'ultimo libro. Nei giorni di vendita all'asta andavo volentieri a vedere ed ero contento quando mi pareva che i miei libri capitassero in buone mani. L'attore Magelsen aveva il mio orologio e ne ero quasi orgoglioso. Un annuario che conteneva i miei saggi poetici era stato acquistato da un conoscente e il mio soprabito era andato a finire da un fotografo. Non c'era assolutamente nulla da ridire.

Coi bottoni in mano entrai e trovai lo Zio seduto alla scrivania e intento a scrivere.

«Non ho fretta» dissi temendo di disturbarlo e non volendo che si spazientisse udendo la mia proposta. La mia voce era stranamente afona, quasi irriconoscibile anche a me stesso, e il cuore mi batteva come un maglio.

Egli si avvicinò sorridendo come sempre, allungò le mani sul banco e mi guardò senza dirmi una parola.

«Ecco, ho portato una cosa e vorrei chiedere se vi può servire... a casa mia m'ingombra. Credete, ve lo dico in coscienza, è roba che mi dà noia: un paio di bottoni».

«Be', sentiamo. Di che bottoni si tratta?» e abbassò la testa fin quasi sulla mia mano.

Non poteva, domandai, darmi un paio di centesimi per due bottoni?... Quel tanto che lui stesso credeva di poter dare... a suo piacimento...

«Per i bottoni?» e lo Zio mi fissò sbalordito. «Per quei bottoni lì?».

Già, quel tanto che voleva lui, per un sigaro. Siccome passavo di lì, ero entrato a chiedere.

Il vecchio si mise a ridere e ritornò alla scrivania senza aggiungere altro. A dire il vero, non avevo certo sperato tanto... e pure avevo creduto di trovare aiuto. Quella risata era la mia condanna a morte. Non avrei ottenuto nulla neanche per gli occhiali.

«Naturalmente aggiungerei gli occhiali, questo va da sé» dissi togliendomeli. «Mi bastano dieci centesimi o, se credete, anche cinque».

«Ma voi sapete bene che per gli occhiali non posso prestarvi niente,» osservò lo Zio «l'ho già detto altre volte».

«Ma mi occorre un francobollo,» dissi con voce cupa «non riesco neanche a spedire le lettere che devo scrivere assolutamente. Un francobollo da dieci o da cinque. Come volete voi».

«Addio. Andate, andate subito!» rispose agitando le mani verso di me.

«E allora no» dissi tra me. Macchinalmente inforcai di nuovo gli occhiali, presi i bottoni e dopo aver augurato la buona notte uscii chiudendo la porta. Ecco, vedi, niente da fare. Davanti all'entrata mi fermai ancora una volta a guardare i bottoni: strano che non li abbia voluti a nessun costo. Eppure erano quasi nuovi!

Mentre facevo queste considerazioni, un tale mi passò davanti per scendere nel sotterraneo. Pareva avesse fretta, poiché mi diede un urtone: ci scusammo a vicenda e io mi volsi a guardarlo.

«Oh, sei tu?» esclamò quello improvvisamente dalla scala e mentre risaliva lo riconobbi. «Dio mio, che faccia!» esclamò. «Che sei venuto a fare da queste parti?».

«Sai, affari... e, come vedo, anche tu hai da fare quaggiù».

«Che cosa gli hai portato?».

Mi sentii mancare e mi appoggiai al muro tendendo la mano coi bottoni.

«Santo cielo,» esclamò «che fai?».

«Buona notte» dissi, e feci per andarmene. Stavo per piangere.

«Vieni qua, aspetta un momento!» disse.

Che cosa dovevo aspettare? Anche lui andava dallo Zio, gli portava forse l'anello di fidanzamento, forse pativa la fame da qualche giorno, forse doveva la pigione alla padrona di casa...

«Volentieri,» replicai «se fai in fretta...».

«Ma si capisce» insistette prendendomi per un braccio. «Devo dirti una cosa e temo che tu non mi aspetti. So bene che sei un cretino. Sarà meglio che tu entri insieme con me».

Capii dove voleva arrivare e sentendo improvvisamente un po' d'amor proprio ribattei: «Non posso. Ho un appuntamento alle sette e mezzo nella Bernt Ankers Gate e...».

«Già, alle sette e mezzo! Bravo. Adesso sono le otto. Non vedi che ho l'orologio in mano? È giunta la sua ora. Avanti, entra qua, peccatore affamato! Vedrai che ci saranno almeno cinque corone anche per te».

E mi spinse dentro.

# CAPITOLO III

Così passò una settimana in benessere e allegria.

Ancora una volta avevo superato il peggio, avevo da mangiare ogni giorno, mi era ritornato il coraggio ed ero pieno di idee. Stavo lavorando a tre o quattro saggi che saccheggiavano il mio povero cervello, sequestravano fin le ultime faville del mio pensiero, e mi pareva che tutto procedesse meglio di prima. L'ultimo articolo per il quale mi ero dato tanto da fare, nutrendo tante speranze, mi era già stato restituito dalla redazione e, adirato e offeso, l'avevo distrutto senza neanche rileggerlo. Ora volevo tentare con un altro giornale per tenermi più vie aperte. Alla peggio, se anche questo tentativo doveva fallire, c'erano le navi. Nel porto *La Suora* era pronta per la partenza e sarei potuto forse arrivare ad Archangelsk o dovunque la nave si fosse diretta. Non mancavano le risorse.

L'ultima crisi mi aveva conciato male. I capelli mi cadevano, il mal di capo mi torturava, specialmente al mattino, ed ero in uno stato di perpetua eccitazione. Di giorno scrivevo coi nervi a fior di pelle, che non tolleravano neanche il mio respiro. Se Jens Olai sbatteva la porta della stalla o un cane abbaiava nel cortile, sentivo certe stilettate fredde che mi attraversavano le ossa. Ero ridotto proprio male.

Sgobbavo giorno e notte, scrivevo, non mi prendevo nemmeno il tempo d'ingoiare i pasti. In tutto quel tempo il mio letto e il tavolino zoppo erano inondati di annotazioni e fogli scritti che elaboravo in modo alterno, facendo aggiunte che mi venivano in mente durante il giorno, sopprimendo parti morte, inserendo qualche vocabolo fresco e vivace, trascinandomi faticosamente da un periodo all'altro. Un pomeriggio terminai felicemente un articolo, me lo misi in tasca tutto contento e andai dal Commendatore. Era tempo di trovare un po' di denaro, perché ero ridotto quasi agli sgoccioli.

Il Commendatore mi pregò di accomodarmi un momento, si sarebbe subito interessato a me, e continuò a scrivere.

Nel piccolo studio mi guardai in giro: un paio di busti, litografie, ritagli di giornale, un cestino enorme che pareva potesse inghiottire un uomo bell'e vestito. La vista di quelle fauci mostruose mi rattristò: quella gola di drago sempre aperta, sempre pronta a ingozzarsi di lavori respinti, di nuove speranze distrutte...

«Che giorno è oggi?» domandò improvvisamente il Commendatore.

«Il 28» risposi, lieto di potergli fare un piacere.

«Il 28» e continuò a scrivere. Infine chiuse un paio di lettere, buttò alcuni manoscritti nel cestino e posò la penna. Poi si girò sulla sedia e mi guardò. Vedendo che ero ancora vicino alla porta, m'indicò una seggiola tra serio e faceto.

Mi volsi perché non vedesse che ero senza panciotto e, aprendo la giacca, ne estrassi il manoscritto.

«Le porto una breve presentazione del Correggio,» dissi «ma purtroppo non è scritta come...».

Egli prese il manoscritto e lo sfogliò volgendosi dalla mia parte.

Così era dunque, visto da vicino, l'uomo che avevo sentito nominare fin da ragazzo, l'uomo il cui giornale aveva esercitato il più profondo influsso su di me. Aveva i capelli crespi, gli occhi castani, belli e irrequieti. Aveva il vezzo di sbuffare ogni tanto. Un pastore scozzese non poteva sembrare più mite di quel pericoloso scrittore le cui parole lasciavano, dove cadevano, segni sanguinosi. Guardandolo provai un curioso sentimento di timore misto ad ammirazione, mi vennero quasi le lagrime agli occhi e mi avvicinai istintivamente di un passo per dirgli quanto gli ero grato di tutto ciò che mi aveva insegnato e per pregarlo di non trattarmi male, benché fossi soltanto un povero scribacchino già abbastanza sfortunato...

Egli alzò gli occhi, ripiegò lentamente il manoscritto e rimase sopra pensiero. Perché gli fosse più facile respingere il mio lavoro, tesi la mano dicendo: «Naturalmente è roba che non va...» e sorrisi per dargli l'impressione che la pigliavo alla leggera.

«Vede, tutto quello che stampiamo dev'essere scritto in modo accessibile a tutti» replicò. «Lei conosce il nostro pubblico. Non potrebbe rivedere il manoscritto e modificarlo in modo da renderlo più piano, più semplice? O scrivere qualche altra cosa che la gente possa capire più facilmente?».

Quel modo riguardoso mi empì di meraviglia. Compresi che l'articolo era restituito... ma nessuno me lo avrebbe potuto dire in forma più cortese. Per non abusare del suo tempo prezioso dissi al Commendatore: «Certo, posso farlo benissimo».

E mi avviai per uscire pregandolo di scusare se l'avevo importunato... Con la mano già sulla maniglia feci un inchino.

«Se ha bisogno di qualche cosa,» mi sentii dire «posso farle avere un piccolo anticipo. In cambio scriverà qualche cosa per noi».

Ma non aveva visto che non sapevo scrivere? Perciò rimasi un po' umiliato da quell'offerta e risposi: «No, grazie, per il momento me la cavo. Le sono molto grato. Buon giorno».

«Buon giorno» rispose il Commendatore e riprese subito il lavoro.

Nonostante tutto mi aveva trattato con benevolenza più di quanto meritassi e gliene ero profondamente riconoscente. Avrei cercato di esserne degno. Feci il proponimento di non ritornare da lui finché non potessi portargli un lavoro del quale io stesso fossi pienamente contento. E allora il Commendatore si sarebbe meravigliato e senza un attimo di esitazione mi avrebbe fatto versare dieci corone immediatamente. Così ritornai a casa e mi rimisi subito al lavoro. Nelle sere seguenti, verso le otto, quando i fanali a gas erano già accesi, mi capitava regolarmente questo fatto: appena uscito dal portone per fare quattro passi dopo la fatica della giornata vedevo una donna vestita di nero vicino al fanale ch'era davanti alla casa. Mentre le passavo accanto si volgeva verso di me e mi seguiva con lo sguardo. Notai che aveva sempre lo stesso abito e un velo fitto che le nascondeva il viso e le ricadeva sul petto. In mano teneva un grazioso ombrello con un anello d'avorio per impugnatura.

L'avevo vista per tre sere consecutive sempre allo stesso posto. Appena ero passato, ella si voltava lentamente e scendeva per la strada in direzione opposta alla mia.

Il mio cervello nervoso allungò le antenne e concepì subito l'idea fissa che quelle visite fossero per me. Infine poco mancò che non le rivolgessi la parola e le chiedessi se cercava qualcuno, se aveva bisogno di me, se potevo accompagnarla a casa, se pur essendo purtroppo così malvestito potevo proteggerla nelle strade buie. Ma avevo un vago timore che potesse costarmi qualcosa, non so, un bicchiere di vino, una gita in carrozza: non avevo infatti un centesimo. Le mie tasche desolatamente vuote mi facevano un effetto troppo deprimente, sicché non avevo neanche il coraggio di guardarla bene quando le passavo davanti. Ero di nuovo affamato e non mangiavo niente dalla sera prima. Certo non era un periodo lungo, altre volte avevo resistito per parecchi giorni consecutivi. Ma ero ridotto abbastanza male e ormai non sapevo più digiunare come prima. Ora un'unica giornata di fame mi stordiva completamente; appena bevevo un sorso d'acqua non facevo che rigettare. Oltre a ciò nel mio letto gelavo, benché andassi a dormire vestito, e durante il sonno m'irrigidivo tra brividi di freddo fino a diventare bluastro. La vecchia coperta non mi proteggeva abbastanza dalle correnti e al mattino mi svegliavo con il naso tappato e gelato dagli spifferi taglienti che entravano da tutte le fessure.

Camminando per le strade stavo studiando il modo di tirare avanti fino alla stesura di un altro articolo. Avessi almeno avuto una candela, avrei tentato di lavorare anche di notte. Quando mi fosse venuta l'ispirazione, mi sarebbero bastate due ore di lavoro e l'indomani avrei potuto ritornare dal Commendatore.

Andai difilato all'Oplandske Café in cerca di quel giovane impiegato di banca, mio conoscente, perché mi desse dieci centesimi per comperare una candela. Mi lasciarono entrare indisturbato nei locali del caffè. Passai davanti a una dozzina di tavolini dove si conversava, si mangiava e si beveva. Arrivai fino in fondo, fin nella 'stanza rossa' senza trovare il mio uomo. Contrariato e deluso uscii e presi la via del Castello.

C'era davvero da dare l'anima al diavolo! Le mie traversie non finivano più. A passi lunghi e concitati, il bavero alzato sgarbatamente, i pugni stretti nelle tasche dei calzoni, camminavo imprecando contro la mia cattiva stella. Mai un momento libero da preoccupazioni in quei sette o otto mesi; mai; cibo appena sufficiente per una intera settimana, ed ecco che la miseria mi faceva di nuovo piegare le ginocchia. E tutta quella miseria l'avevo attraversata rimanendo onesto fino alla punta dei capelli. Dio buono, com'ero stato imbecille! E mi raccontavo la storia dei rimorsi di coscienza che avevo avuto quando ero andato per impegnare la coperta di Hans Pauli. Mi facevo beffe di me stesso e ridevo della mia rettitudine da idiota, sputavo sulla strada con disprezzo e cercavo le parole più volgari per pigliare in giro la mia stupidità. Mi fosse capitato adesso! Se adesso avessi trovato per la strada i pochi centesimi risparmiati da una scolaretta o l'ultimo soldo di una vedova, li avrei raccolti e messi in tasca, li avrei tenuti di proposito e avrei dormito tutta la notte come un masso. Non senza guadagnarci qualcosa volevo aver sopportato ogni malanno fino a quel punto, la mia pazienza era esaurita e mi sentivo disposto a qualunque azione.

Feci tre o quattro volte il giro del Castello e, decidendo poi di ritornare a casa, feci ancora una capatina nel parco e mi diressi verso via Karl Johan.

Erano circa le undici. La strada era piuttosto buia, ma c'era parecchia gente, brigate rumorose e coppie che scivolavano via in silenzio. Era il grande momento: l'ora dell'accoppiamento, gli istanti misteriosi delle avventure galanti. Sottane fruscianti, ogni tanto una breve risata sensuale, seni ansanti, sospiri... Lontano, presso il Grand Hôtel, una voce che chiamava: Emma! La strada era come un pantano che esalasse vapori caldi.

Istintivamente mi frugai le tasche cercandovi due corone. La tensione che vibrava intorno a me non solo in ogni movimento, ma anche nella luce scialba dei fanali... nella notte silenziosa e gravida, tutto quell'insieme mi soggiogava, quell'aria piena di sussurri, di amplessi, di confessioni balbettate, di parole accennate, di piccoli gridi. Un paio di gatti si graffiavano soffiando e miagolando nell'ingresso del ristorante Blomqvist. E io non avevo due corone. Che sciagura, che tristezza essere così poveri! Quale umiliazione, quale vergogna! E pensai di nuovo all'ultimo scellino d'una povera vedova che avrei rubato, al berretto d'uno scolaro o al suo fazzoletto, al tascapane di un mendicante che senza tanti complimenti avrei portato dal rigattiere mangiandomi poi il ricavato. Per consolarmi e per indennizzarmi andavo scoprendo tutti i difetti possibili di quella gente allegra che mi frullava intorno. Alzavo le spalle con disprezzo e lanciavo occhiate di rimprovero alle coppie che vedevo passare. Quegli studenti frivoli e sciocchi che succhiavano caramelle e si davano arie di disinvoltura continentale, quando riuscivano ad accarezzare il seno di una sartina! Quegli impiegati di banca, quei negozianti, quei bellimbusti da boulevard, che non sdegnavano nemmeno le mogli dei marinai, quelle grasse pollastre da mercato che si stendevano sotto il primo portone per un boccale di birra! Che razza di sirene! Il posto al loro fianco era ancora caldo del pompiere o dello stalliere della notte precedente... Il trono era sempre pronto e vi era sempre posto sufficiente, prego, avanti, si accomodi!... Schizzavo i miei sputi sul marciapiede senza curarmi di colpire eventualmente un passante, ero rabbioso, pieno di disprezzo per quella gente: si sfregavano l'uno contro l'altro e si accoppiavano in pubblico. Passavo a testa alta e mi pareva quasi una gloria, quella di camminare sul pulito.

Nella piazza dello Storting trovai una ragazza che, mentre passavo, mi fissò piuttosto arditamente.

«Buona sera» dissi.

«Buona sera» e si fermò.

Già... Andava a spasso? Così tardi? Non era un po' pericoloso per una giovane passeggiare a quell'ora per la via Karl Johan? No? Nessuno l'aveva mai abbordata o, per dirla schietta, invitata a seguirlo fino in casa?

Lei mi guardò stupefatta, mi fissò negli occhi per indovinare a che cosa alludessi... Poi mi prese a braccetto ed esclamò: «Andiamo, dunque!».

Mi accompagnai a lei e quando passammo davanti al posteggio delle carrozze mi fermai, liberai il braccio e dissi: «Sentite un po', cara amica, io non ho un soldo». E feci per andarmene. Dapprima non volle crederci, ma quando ebbe frugato le mie tasche senza trovare niente, s'indispettì e incominciò a insultarmi dandomi del baccalà.

«Buona notte» dissi.

«Aspettate un momento. Non avete gli occhiali d'oro?».

«No».

«E allora andate all'inferno!».

Andai. Poco dopo mi raggiunse e mi richiamò: «Potete venire lo stesso».

Mi sentii umiliato da quell'offerta d'una povera sgualdrina e rifiutai. Dissi che era già tardi, che avevo un appuntamento e che in fondo nemmeno lei poteva permettersi il lusso di pigliarmi così.

«Già, ma adesso sono io che voglio».

«Io però così non vengo».

«Naturalmente andrete da un'altra».

«Niente affatto» risposi.

Per me c'era poco da sperare. Le ragazze si comportavano con me come uomini, le privazioni mi avevano sfinito. Capivo che di fronte a quella strana prostituta facevo una figura assai meschina e perciò decisi di salvare almeno le apparenze.

«Come ti chiami?» domandai. «Maria? Bene... E ora, Maria, stammi a sentire» e incominciai a spiegarle il mio contegno. La ragazza spalancava tanto d'occhi. Che? Aveva creduto davvero d'incontrare uno di quelli che vanno di sera per le strade a dar la caccia alle ragazze? Mi aveva preso davvero per un soggetto così cattivo? Mi ero forse comportato male? Avevo detto forse qualche parola sconveniente? Ci si comporta come me quando si hanno cattive intenzioni? Per farla breve, le avevo rivolto la parola e l'avevo accompagnata alcuni passi soltanto per vedere fino a qual punto sarebbe arrivata. Mi chiamavo così e così, ero il pastore tal dei tali. «Buona notte, vai a casa e non commettere peccato». E me ne andai.

Entusiasta della mia bella trovata mi fregavo le mani e discorrevo con me stesso. Che piacere andare in giro e fare buone azioni! Forse avevo dato a quella donna perduta la prima spinta a sollevarsi, e poteva essere una spinta decisiva per la sua vita. Forse riflettendoci si sarebbe ravveduta e nell'ora della morte si sarebbe ricordata di me col cuore traboccante di gratitudine. Oh valeva certamente la pena di essere onesti, onesti e retti! Ero raggiante, mi sentivo fresco e pieno di coraggio. Avessi avuto una candela, forse avrei portato a termine il mio articolo. Camminavo rigirando fra le dita la chiave di casa, canticchiando, fischiettando e cercando di risolvere il problema della candela. Niente da fare. Non mi rimaneva che andare a prendere l'occorrente per scrivere e lavorare nella strada sotto il fanale a gas. Apersi il portone e salii a prendere la carta e la penna.

Richiusi e andai a mettermi sotto il fanale. C'era un grande silenzio, udivo soltanto il passo pesante di una guardia in una traversa e, in lontananza, verso il St. Hanshaug, l'abbaiare di un cane. Non vi era nulla che mi disturbasse e così, sollevando il bavero fin sulle orecchie, mi concentrai nei miei pensieri. Come mi sarebbe stato d'aiuto trovare un bel finale per il mio saggio! Ero arrivato proprio a un punto difficile; volevo trovare un passaggio appena percettibile a un argomento nuovo, cui doveva seguire un finale vibrante e armonioso, che dopo un crescendo graduale diventasse d'improvviso tanto travolgente da sembrare uno sparo, un tuono, il fragore di una montagna che frani. Punto.

Ma non mi venivano in mente le parole adeguate. Rilessi ancora una volta tutto il pezzo frase per frase, a voce alta, ma non riuscivo a raccogliere i pensieri per quel finale grandioso. Mentre tendevo tutti i nervi in questa fatica, la guardia si avvicinò a spiarmi, si piantò in mezzo alla strada e mi rovinò l'ispirazione. Che cosa poteva importargli se in quel momento stavo elaborando un eccellente crescendo del mio articolo per il 'commendatore'? Dovevo sempre fallire, qualunque cosa mi mettessi a fare! Stetti là un'ora intera, la guardia se ne andò per i fatti suoi e infine il freddo fu troppo intenso perché potessi star fermo. Scoraggiato e depresso per quel tentativo fallito riapersi il portone e salii in camera mia.

Lì faceva freddo ed era tanto buio che non riuscivo a distinguere la finestra. Andai a tastoni verso il letto, mi levai le scarpe e cercai di scaldarmi i piedi stringendoli fra le mani. Poi mi coricai tutto vestito, come facevo ormai da molto tempo.

La mattina seguente, appena fu chiaro, mi levai a sedere sul letto e ripresi il lavoro. Rimasi là fino a mezzogiorno e scrissi dieci o venti righe. E ancora non ero arrivato al finale. Mi alzai, m'infilai le scarpe e incominciai a passeggiare su e giù per scaldarmi. I vetri della finestra erano fioriti di ghiaccio. Guardai fuori: nevicava e giù nel cortile, sul selciato e sulla pompa dell'acqua, la neve era già alta. Così mi aggiravo per la stanza, abulico, grattando le pareti con le unghie, appoggiando la fronte alla porta, battendo col dito sul pavimento e rimanendo in ascolto, senza alcuno scopo, ma silenzioso, pensieroso e attento quasi avessi avuto da sbrigare un compito importante. E andavo dicendo a voce alta: «Ma queste, Dio mio, sono pazzie!». E non smettevo di farle, quelle pazzie. Finalmente dopo qualche ora mi scrollai, strinsi le labbra e mi tirai su alla meglio. Bisognava pure farla finita. Trovai un pezzetto di legno da masticare, sedetti e mi misi a scrivere risoluto.

Con grandi sforzi combinai felicemente alcune brevi frasi, qualche dozzina di povere parole che mi ero spremuto dal cervello ricorrendo a tutte le mie forze per andare avanti di qualche passo. Poi smisi. Mi trovai con la testa vuota. Non ne potevo più. E siccome con la migliore volontà non sapevo procedere, rimasi seduto a fissare con gli occhi sbarrati le mie ultime parole, quel foglio incompiuto, quelle strane lettere tremolanti che mi guardavano dalla carta come bestioline irsute, finché cessai persino di pensare.

Il tempo passava. Dalla strada udivo il movimento

e il rumore delle carrozze e dei cavalli, e dalla stalla saliva la voce di Jens Olai che discorreva coi cavalli.

Ero tutto intorpidito. Non ero nemmeno in grado di muovere le labbra e il petto mi doleva.

Incominciò ad annottare. Sentendomi sempre più stanco e rattrappito mi buttai lungo disteso sul letto. Per scaldarmi un po' le mani mi passai le dita fra i capelli avanti e indietro, per diritto e per traverso. Fra le dita mi rimase qualche ciocca di capelli strappati che cadevano sul guanciale. Non me ne diedi pensiero: che importava? Capelli me ne rimanevano sempre abbastanza. Feci ancora un tentativo per destarmi da quello strano intontimento che mi filtrava in tutte le membra come una nebbia. Provai ad alzarmi, battei le palme sulle ginocchia, tossii con tutta la forza che mi rimaneva... e ricaddi sul letto. Tutto inutile. Stavo morendo a occhi aperti abbandonato a me stesso. Infine mi misi l'indice in bocca e incominciai a succhiare. Allora il cervello incominciò ad agitarsi e un pensiero vi si formò timidamente, un'idea folle: e se mordessi? Senza riflettere chiusi gli occhi e strinsi i denti.

Mi alzai di scatto. Finalmente ero sveglio. Dal dito colava un filo di sangue. Lo leccai a goccia a goccia. Non faceva male. La ferita era insignificante. Ma di botto avevo ripreso conoscenza. Crollai il capo, mi avvicinai alla finestra, cercai una benda per la ferita. Mentre mi fasciavo, gli occhi mi si inumidirono. Piangevo in silenzio: quel dito esile e morsicato era tanto triste! Dio del cielo, a quale punto ero arrivato?

Le tenebre s'infittivano. Se avessi avuto una candela, forse non sarebbe stato impossibile terminare il mio finale quella sera stessa. Avevo la testa limpida, i pensieri venivano e andavano come al solito e non soffrivo granché. Non sentivo neanche la fame come l'avevo sentita atrocemente poche ore prima. Potevo certo resistere fino al giorno seguente. Chissà, forse potevo farmi imprestare una candela dal negoziante di coloniali di fronte a casa mia, al quale potevo spiegare la situazione. Là mi conoscevano bene. Ai vecchi tempi, quando potevo permettermelo, vi ero andato spesso a comperare il pane. Certamente conoscendo la mia onestà mi avrebbero dato una candela a credito. E dopo tanto tempo mi misi a spazzolare il vestito e a ripulire il bavero dai capelli caduti, fin dove era possibile in quel buio. Poi scesi le scale a tentoni.

Quando fui nella strada, pensai che forse era meglio chiedere del pane. Indeciso mi fermai a riflettere. No, assolutamente no! dissi infine fra me. Purtroppo non ero in condizioni di tollerare il cibo. Avrei provocato di nuovo la vecchia storia: visioni, fantasmi e idee folli, e non sarei riuscito a terminare l'articolo. Bisognava invece andare dal Commendatore prima che si dimenticasse di me. No, assolutamente no! Risoluto a chiedere la candela, entrai nel negozio.

Al banco c'era una donna che faceva acquisti. Davanti a lei c'erano vari pacchetti avvolti in carte di diverse qualità. Il commesso, che mi conosceva e sapeva che cosa comperavo di solito, lasciò un momento la donna e avvolse senz'altro un pane in un giornale mettendomelo sul banco.

«No, questa sera vorrei una candela» obiettai. Lo dissi a voce bassa e con umiltà per non irritarlo e rovinare i miei piani. Egli non se l'aspettava; infatti era la prima volta che invece del pane andavo a prendere un'altra cosa.

«Allora bisogna che aspettiate un momento» disse e riprese a servire la donna. Questa pagò con un biglietto da cinque corone, ricevette il resto e uscì. Rimasi solo con il commesso il quale disse: «Dunque una candela». E, aperto un pacco, ne tolse una per me... Mi guardò, io guardai lui e non riuscivo a spiccicare la mia richiesta.

«Già, è vero, avete già pagato!» esclamò a un tratto. Disse semplicemente che avevo già pagato. Afferrai benissimo ogni parola. Poi prese dal cassetto alcune monete d'argento e contò una corona sull'altra, monete lustre e grasse... e mi diede il resto di cinque corone, del biglietto da cinque corone che aveva ricevuto da quella donna.

«Eccovi servito» disse.

Io rimasi di stucco, guardai quel denaro, capii benissimo che c'era qualcosa che non andava, ma non riuscivo a riflettere, avevo la testa vuota e di fronte a quella ricchezza mi parve di precipitare in un sogno luminoso. Meccanicamente intascai il denaro.

Stavo davanti al banco, inebetito dallo stupore, schiantato, annichilito. Feci un passo verso la porta e mi fermai. Fissai un punto nella parete e vi vidi appeso un campanellino a un collare di cuoio e più sotto un mazzo di lenze. Guardai tutto ciò con gli occhi fissi. Il commesso, immaginando che volessi attaccare discorso, dato che non avevo nessuna fretta, mi disse mentre ammucchiava sul banco alcuni fogli di carta da pacchi: «Pare che venga l'inverno».

«Già» risposi. «Pare proprio che stia per venire l'inverno. Pare davvero». E dopo un istante soggiunsi: «Oh, ma non è poi tanto presto. Però, sembra proprio che faccia inverno. Però non è troppo presto». Ascoltavo me stesso mentre vaneggiavo pronunciando quelle chiacchiere insulse, ma mi pareva di non essere io, mi pareva che fosse un altro a dirle.

«Credete proprio?» fece il commesso.

Misi il denaro in tasca, girai la maniglia e uscii. Sentii che dicevo buona notte e che il commesso salutava a sua volta. Ero già sceso dai gradini, quando la porta del negozio si spalancò e il commesso mi richiamò. Mi voltai senza alcuno stupore, senza ombra di paura. Raccolsi in mano il denaro e lo tenni pronto per restituirlo.

«Guardate, avete dimenticato la candela!» disse il commesso.

«Oh, grazie» risposi con calma. «Mille grazie». E attraversai la strada... con la candela in mano.

Il mio primo pensiero ragionevole fu questo: il denaro! Mi avvicinai a un fanale, ricontai i quattrini e li soppesai nella mano sorridendo. Ecco che nonostante tutto avevo trovato un aiuto, un soccorso meraviglioso per molto tempo. Rimisi la mano in tasca e m'incamminai.

Davanti a un ristorante della Storgate mi fermai a riflettere, con calma e sangue freddo, se non fosse il caso di concedermi uno spuntino. Sentivo un acciottolio di piatti, un rumore di coltelli e di carne battuta. La tentazione era troppo grande.

«Una bistecca» gridò la cameriera attraverso un'apertura nel muro.

Mi sedetti a un tavolino vuoto presso la porta in attesa degli eventi. In quel punto faceva un po' buio, ma mi sentivo abbastanza al sicuro e mi misi a pensare. Di quando in quando la cameriera mi guardava con curiosità.

Avevo dunque commesso la mia prima azione disonesta, il primo furto, di fronte al quale tutte le mie precedenti malefatte erano prive d'importanza. La mia prima piccola grande caduta... E sia! Ormai era fatta. Del resto, potevo sempre regolare la cosa in seguito, più tardi, quando me ne si fosse presentata l'occasione. Non era detto che dovessi scendere più in basso. D'altro canto non mi ero mai ripromesso di vivere più onestamente degli altri. Non ne avevo l'obbligo...

«E la mia bistecca?».

«Arriva subito». E aprendo lo sportello la cameriera guardò in cucina.

E se la cosa si scopriva? Se il commesso s'insospettiva e ripensava alla faccenda del pane e alle cinque corone delle quali aveva dato il resto a quella donna? Non era escluso che a un certo punto se n'accorgesse, forse quando fossi andato da lui un'altra volta. Al diavolo, sia pure!... E scrollai le spalle.

«Ecco qua!» disse la cameriera gentilmente, posando il piatto sulla tavola. «Ma non preferite passare nell'altro locale? Qui è troppo buio».

«No, grazie, lasciatemi pure qua» risposi. La sua gentilezza mi commosse; pagai subito la bistecca e le diedi tutte le monete che mi trovai in mano, senza nemmeno contarle. Lei sorrise mentre le dicevo scherzando, ma con gli occhi umidi: «Col resto compratevi una casa...».

«Grazie... e buon appetito!».

Incominciai a mangiare voracemente, inghiottendo grossi bocconi senza masticare. Dilaniavo la carne come un cannibale. La cameriera si riavvicinò: «Non bevete niente?» disse chinandosi verso di me. La guardai. Parlava sotto voce, quasi timidamente, e teneva gli occhi bassi: «Non so, una bottiglia di birra o qualche cos'altro... da parte mia... se desiderate...».

«No, mille grazie» risposi. «Non oggi. Verrò un'altra volta».

Ella si ritirò dietro il banco. Vedevo soltanto la sua testa. Che strana persona!

Appena ebbi finito, mi avviai per uscire. Sentivo già il vomito. La cameriera si alzò, mentre io evitavo la luce temendo di farle capire troppo: quella giovine non immaginava quanta fosse la mia miseria. Perciò augurai rapidamente la buona notte, feci un inchino e uscii.

Il cibo incominciava ad agire. Soffrivo terribilmente e non riuscivo più a tenerlo. A ogni angolo buio che incontravo sputavo per liberarmi, pur lottando contro quel malessere che mi scoteva, e stringevo i pugni, battevo i piedi e inghiottivo rabbiosamente per oppormi al vomito... ma invano. Infine entrai sotto un portico, accecato dall'acqua che mi empiva gli occhi, e piegandomi in due vomitai tutto.

Ero straziato e camminavo per le strade piangendo e imprecando contro gli dèi crudeli, chiunque essi fossero, che mi perseguitavano, augurando loro tutti i tormenti infernali e le pene eterne. Erano ben poco cavalleresche, quelle potenze supreme, poco cavalleresche, non c'è che dire!... Mi rivolsi a un tale che era fermo dinanzi a una vetrina, gli domandai in gran fretta che cosa bisognasse dare, secondo lui, a una persona che avesse digiunato molto a lungo. Era questione di vita o di morte, osservai, e quella persona non tollerava le bistecche.

«Ho sentito dire che ci vuole il latte, latte bollito» rispose quel tale molto meravigliato. «Di chi si tratta?».

«Grazie, grazie» dissi. «Può darsi, già, latte bollito».

Andai avanti di corsa ed entrai nel primo caffè ordinando una tazza di latte bollito. Presi il latte, lo bevvi d'un fiato, bollente com'era, non lasciandone neanche una goccia, pagai e ritornai verso casa.

Allora avvenne una cosa strana. Davanti al mio portone, appoggiata al fanale, dentro il cono di luce, c'era una persona che riconobbi da lontano: era la donna vestita di nero. Quella delle altre sere. Non c'era dubbio: era ritornata là per la quarta volta. Stava perfettamente immobile e la cosa mi parve così strana che involontariamente rallentai il passo. La mia mente era sgombra e ordinata, ma ero molto agitato e avevo i nervi ancora scossi dal pasto recente. Come al solito le passai accanto, arrivai quasi al portone e feci per entrare. Ma mi fermai: mi era venuta un'idea. Senza rendermi conto di quel che facevo mi volsi e mi avvicinai a quella donna. La guardai e salutai: «Buona sera, signorina».

«Buona sera» rispose.

«Scusate se mi permetto di rivolgervi la parola: cercate qualcuno? Vi ho già vista altre volte... posso esservi utile in qualche modo? Vi prego vivamente di scusarmi...».

«Ecco, non saprei veramente...».

«Vedete, lì dentro non ci sta nessuno tranne me e tre o quattro cavalli. Non c'è che una stalla e, sopra, un'officina di stagnaio. Se cercate qui qualcuno, probabilmente vi sbagliate».

Ella volse il viso e disse: «Non cerco nessuno. Sto soltanto qui».

Oh, guarda un po', se ne stava lì una sera dopo l'altra, per capriccio. Era un po' strano. Pensa e ripensa, non riuscivo a comprenderla. Decisi di farmi ardito. Feci tintinnare il denaro che avevo in tasca e senza tante cerimonie la invitai a prendere un bicchiere di vino in qualche luogo... visto che faceva freddo... non era necessario che facessimo molto tardi... ma forse non voleva?

No, no. Mi ringraziava, ma le pareva non stesse bene, non si sentiva di farlo. Ma se volevo essere tanto cortese da accompagnarla un pezzetto, allora... Doveva passare per strade buie e a quell'ora tarda non le piaceva far da sola la via Karl Johan.

E così ci avviammo. Stava alla mia destra e un sentimento insolitamente bello mi pervase: la certezza di essere vicino a una fanciulla. Per tutta la strada la guardai. Il buon odore dei capelli, il tepore che il suo corpo emanava, quel profumo di donna che la seguiva come una scia, il dolce respiro che sentivo quando si volgeva a me, tutto ciò m'inondava e compenetrava i miei sensi. Intuivo più di quanto non potessi vedere: un viso pieno, un po' pallido sotto il velo, e un seno teso che si disegnava contro il mantello attillato. Il pensiero di tutta la bellezza velata che sognavo sotto il mantello e sotto il velo mi confondeva e mi rendeva stupidamente beato... senza alcun motivo. Non sapendo resistere la toccai sulla spalla e sorrisi scioccamente. Sentivo il cuore che mi batteva.

«Come mi sembrate strana!» dissi.

«Perché mai?».

Ecco, prima di tutto perché aveva preso l'abitudine di aspettare tutte le sere davanti alla porta di una stalla, senza alcuna ragione, soltanto per un capriccio...

Chissà, poteva avere le sue ragioni, e poi rimaneva alzata fino a tardi perché così le era sempre piaciuto. E io, allora, andavo forse a dormire prima di mezzanotte?

Io? Se c'era una cosa al mondo che odiavo era quella di andar a dormire prima di mezzanotte.

«Ecco, vedete?». Faceva ogni sera quella passeggiata, quando non aveva altri impegni. Abitava lassù in piazza Sankt Olav...

«Ylajali!» esclamai.

«Come dite?».

«Niente, dicevo soltanto Ylajali... Continuate pure!».

Disse che abitava lassù in piazza Sankt Olav, sola soletta con la mamma, con la quale però non poteva discorrere perché era sorda. Era tanto strano se andava volentieri a spasso?

«No, tutt'altro» risposi.

«E allora?» e dalla voce sentii che sorrideva.

Domandai se non aveva una sorella.

«Sì, una sorella maggiore... Come lo sapete? Ma è partita per Amburgo».

«Recentemente?».

«Sì, saranno cinque settimane. Ma come sapete che ho una sorella?».

«Io non so niente, domandavo soltanto».

Una pausa. Un uomo con un paio di scarpe sotto il braccio ci passò accanto. Poi la strada fu vuota a perdita d'occhio. Dal Tivoli si vedeva la luce di una fila di lampade colorate. Non nevicava più. Il cielo era limpido.

«Dio mio, non avete freddo, così senza cappotto?» domandò la signorina guardandomi.

Dovevo spiegarle perché ero senza cappotto? Rivelarle la mia situazione per farla scappare subito? Era pur delizioso camminare al suo fianco e lasciarla ancora un poco all'oscuro delle mie condizioni. Risposi mentendo: «No, niente affatto» e per sviare il discorso domandai: «Avete già visto lo zoo al Tivoli?».

«No» rispose. «Merita di esser visto?».

E se le fosse venuto in mente di volerci andare? Dentro tutta quella luce, in mezzo a tutta quella folla! Si sarebbe vergognata e io l'avrei fatta fuggire col mio abito logoro, con la faccia smunta che non mi ero neanche lavata da due giorni, e forse avrebbe anche scoperto che ero senza panciotto.

«Oh, no,» risposi «non è granché». E mi vennero in mente alcune belle frasi che utilizzai subito, un paio di misere parole spremute a stento dal mio cervello estenuato: che cosa si poteva mai aspettarsi da uno zoo così? In genere non mi piacevano le bestie in gabbia. «Queste bestie sanno che si va a guardarle, sentono i nostri mille occhi curiosi e questo le fa soffrire. Per carità, io preferisco le bestie che non sanno di essere guardate, quegli animali schivi che si crogiolano nelle loro tane, che guardano pigramente con gli occhi socchiusi leccandosi le zampe e pensando. Non vi pare?».

«Certo, mi pare che abbiate ragione».

«A me piace la bestia selvaggia nella sua terribilità. I passi striscianti e silenziosi nel buio pesto della notte, le corse nella foresta con tutti i suoi orrori, il grido di un uccello che passa svolazzando, il vento, l'odore di sangue, il tumulto sopra di noi nello spazio infinito: insomma, la belva nel regno della belva...».

Ma avevo paura che la mia conferenza la stancasse e il senso opprimente della mia povertà mi riprese e mi avvilì. Se fossi stato almeno vestito decentemente, avrei potuto farle un piacere invitandola al Tivoli. Non riuscivo a comprendere quella creatura che si compiaceva di farsi accompagnare lungo tutta la via Karl Johan da un accattone mezzo nudo. Che cosa pensava, in nome del cielo? E perché mi davo tutte quelle arie e sorridevo come uno scemo, senza alcun motivo? C'era forse una ragione seria che potesse indurmi a quella lunga passeggiata assieme a quel serico uccellino? Non mi costava fatica andare così lontano? Non sentivo fin nel cuore il soffio gelido della notte ogni volta che si levava la brezza più mite? E nel mio cervello non tempestava già la follia perché da parecchi mesi non mangiavo abbastanza? E, come se tutto questo non bastasse, lei m'impediva di ritornare a casa e di bere ancora un po' di latte, un sorso di latte che forse avrei potuto tenere nello stomaco. Perché non mi volgeva le spalle e non mi lasciava andare al diavolo?

Ero disperato. La mia desolazione mi spinse agli estremi e mi fece dire: «Veramente, signorina, lei non dovrebbe venire con me. Io la comprometto davanti agli occhi di tutti già con la mia presenza. È la verità. Non faccio soltanto così per dire».

Ella rimase perplessa, mi lanciò una rapida occhiata e tacque. Dopo un po' disse: «Oh, Dio mio!». Niente altro.

«Che cosa intendete dire?» domandai.

«No, no, non parlate così... Siamo subito arrivati». E affrettò un po' il passo.

Entrammo nella via dell'Università e scorgevamo già i fanali della piazza Sankt Olav. Lei rallentò di nuovo.

«Non voglio essere indiscreto,» incominciai «ma non vorreste dirmi come vi chiamate, prima che ci lasciamo? E vi dispiacerebbe sollevare un momento il velo perché vi possa vedere? Ve ne sarei molto grato».

Silenzio. Continuammo a camminare. Io aspettavo.

«Voi mi avete già vista un'altra volta» rispose.

«Ylajali!» ripetei.

«Voi mi avete seguita per mezza giornata... fino a casa. Eravate ubriaco quel giorno?» e di nuovo mi accorsi che sorrideva.

«Già, purtroppo quel giorno ero ubriaco».

«Brutta cosa».

Ammisi contrito che era stata veramente una brutta cosa. Eravamo arrivati alla fontana e ci fermammo a guardare le numerose finestre illuminate del numero 2.

«Ora basta, voi potete accompagnarmi solo fin qui» disse. «Tante grazie».

Chinai il capo e non osando parlare mi tolsi il cappello. Chi sa se mi avrebbe stretto la mano?

«Perché non mi pregate di riaccompagnarvi per

un tratto?» domandò con malizia, ma guardandosi la punta delle scarpe.

«Santo cielo, se davvero me lo permettete...».

«Sì, ma solo per un pezzetto».

Così tornammo indietro. Ero sbalordito, non sapevo come camminare, come muovermi. Quella creatura mi aveva tutto sconvolto. Ero fuori di me dalla gioia, provavo una meravigliosa allegria. Mi pareva di morire dalla felicità. Era stata lei a proporre di fare un pezzo di strada insieme. L'idea non era stata mia, era proprio un desiderio suo. Camminavo guardandola e mi facevo sempre più coraggio, perché era lei a incoraggiarmi e ad avvicinarmi a sé con ogni parola. Per un momento dimenticai la mia povertà, la mia miseria, la mia lagrimevole esistenza, sentii il sangue scorrermi caldo nelle vene come ai bei tempi prima della rovina e volli tastare il terreno con un piccolo trucco.

«Del resto,» dissi «io quel giorno non seguivo voi, ma vostra sorella».

«Mia sorella?» fece lei meravigliatissima. Si fermò, mi guardò e aspettava che rispondessi. La sua domanda era seria.

«Già» risposi. «Cioè, voglio dire... la più giovane delle due signorine...».

«La più giovane? Oh, oh!» e si mise a ridere felice come una bambina. «Che furbacchione! L'avete detto soltanto perché mi tolga il velo... Sì, sì, non mi ingannate... Ma dovrete aspettare un bel po'... per punizione!».

Ora ridevamo tutti e due e scherzavamo, parlavamo continuamente, non sapevo che cosa dicessi, ero felice. Disse che mi aveva già visto una volta molto tempo prima, a teatro: ero insieme con tre amici e mi ero comportato come un matto. Certo anche allora ero ubriaco, purtroppo.

«Da che cosa lo arguiste?».

«Ecco, ridevate smodatamente».

«Davvero? Eh sì, a quei tempi ridevo molto».

«Adesso non più?».
«Oh sì, anche adesso. È così bello vivere!».
Eravamo di nuovo quasi nella via Karl Johan e lei disse: «Solo fin qui». Tornammo indietro e rifacemmo la via dell'Università. Arrivati di nuovo alla fontana rallentai il passo: sapevo che non dovevo accompagnarla fin là.
«Già, ora dovete tornare indietro» disse lei fermandosi.
«Infatti, non mi rimane altro».
Ma poi soggiunse che potevo tranquillamente accompagnarla fino al portone. Non c'era niente di male, vero?
«No certo» dissi. Quando raggiungemmo il portone, il pensiero della mia miseria mi schiantò di nuovo. Affranto com'ero, potevo avere ancora coraggio? Stavo davanti a una fanciulla, sporco, straccione, sfigurato dalla fame, seminudo, abbrutito! Avrei voluto sprofondarmi sotto terra. Inconsapevolmente mi curvai su me stesso e quasi contorcendomi dissi: «E ora non potrò vedervi più?». Non avevo alcuna speranza di poterla rivedere. Mi auguravo quasi un no reciso che mi irrigidisse e mi rendesse insensibile.
«Sì» rispose lei.
«Quando?».
«Non so».
Una pausa.
«Volete essere buona e sollevare il velo un momentino solo,» pregai «perché possa vedere con chi ho parlato? Un attimo solo. Devo pur vedere con chi ho parlato».
Un'altra pausa.
«Potete trovarmi qui martedì sera» disse.
«Cara, davvero?».
«Alle otto».
«Sta bene».
Le accarezzai il mantello togliendone la neve per avere un pretesto per toccarla. Oh, il piacere di starle così vicino!

«E non dovete pensare troppo male di me» disse sorridendo di nuovo.

«Ma no...».

Improvvisamente con un gesto deciso mandò indietro il velo. Ci guardammo negli occhi per un secondo. «Ylajali!» dissi.

Lei si sollevò sulle punte dei piedi, mi buttò le braccia al collo e mi baciò sulla bocca. Sentivo il suo respiro ansimante, il petto agitato. Staccate le braccia da me, mi diede la buona notte in un sospiro, si volse e corse su per le scale senza aggiungere altro.

Il portone si chiuse.

Il giorno successivo nevicava ancora più forte. Cadeva una neve pesante e bagnata, a larghi fiocchi azzurri che appena toccavano il suolo diventavano fango. L'aria era aspra e gelida.

Mi ero svegliato piuttosto tardi con una strana confusione nella testa dopo i fatti del giorno prima, e col cuore inebriato da quel bell'incontro. Estasiato ero rimasto ancora a letto sognando di avere Ylajali al mio fianco. Tendevo le braccia, abbracciavo me stesso e baciavo l'aria. Infine mi ero poi alzato, ero andato a bere una tazza di latte e vi avevo aggiunto una bistecca per togliermi la fame. Ma avevo ancora i nervi scossi.

Mi avviai verso il mercato degli abiti usati. Mi era venuta l'idea di acquistare, per pochi soldi se possibile, un panciotto usato, tanto da avere qualche cosa da infilare sotto la giacca. Trovai un panciotto e mentre mi accingevo a provarlo vidi passare un conoscente. Egli mi salutò e mi chiamò, così lasciai lì il panciotto e gli andai incontro. Era un ingegnere e stava recandosi in ufficio.

«Venite, andiamo a prendere un bicchiere di birra. Ma fate presto che ho poco tempo... e dite un po', chi era quella signorina con la quale passeggiavate ieri sera?».

«Questa poi!» esclamai ingelosito al solo pensiero. «E se quella signorina fosse la mia fidanzata?».

«Nientemeno!» esclamò.
«Sicuro, ieri ci siamo fidanzati».
L'avevo colpito in pieno. Mi credette sulla parola. Per liberarmene gli raccontai un sacco di bugie e, bevuta la birra, riprendemmo la strada.
«Buon giorno dunque!... E sentite un po'," disse improvvisamente «io vi debbo ancora alcune corone. È proprio un'indecenza che non ve le abbia già restituite da un pezzo. Ma riavrete il vostro denaro prestissimo».
«Va bene, grazie» risposi, ma sapevo bene che non me lo avrebbe restituito mai.
Purtroppo la birra mi diede subito alla testa. Provavo un gran caldo. Il ricordo della sera precedente mi dominava, mi toglieva quasi la ragione. E se martedì non veniva? Se nel frattempo le fosse nato qualche sospetto... Sospetto? Di che?... Ora i miei pensieri correvano all'impazzata. Pensai al denaro. Ero angosciato, atterrito mortalmente. Il furto mi si ripresentava dinanzi in tutti i suoi particolari. Vedevo la bottega, il banco, la mano scarna che afferrava il denaro, e mi figuravo il momento in cui la polizia sarebbe venuta ad arrestarmi. I ceppi ai piedi e alle mani, cioè no, soltanto alle mani, anzi forse a una mano sola... L'ufficio di polizia, il verbale dell'ufficiale di turno, la sua penna che grattava, il suo sguardo: «Ebbene, signor Tangen?». Poi la cella, le tenebre senza fine...
Già. Mi torcevo le mani convulsamente per farmi coraggio e affrettando il passo arrivai nella piazza del mercato. Là mi sedetti.
Non diciamo sciocchezze! Come si poteva mai dimostrare che avevo rubato? E poi, il commesso della bottega non avrebbe certo osato riferire il fatto, neanche se un giorno avesse scoperto come stavano le cose. Al posto ci teneva di sicuro! Niente rumore, niente scenate, per piacere!
Eppure, quel denaro mi pesava in tasca e non mi dava pace. Seduto su quella panchina feci l'esame di

coscienza e riconobbi mestamente che ero stato più felice prima, quando soffrivo in perfetta onestà. E Ylajali? Non avevo trascinato anche lei nel fango con le mie mani macchiate? Dio mio, Dio mio! Ylajali!

Mi accorsi che ero ubriaco fradicio. Ma mi alzai di scatto e andai difilato dalla venditrice di dolci che aveva il banchetto presso la farmacia dell'Elefante. Ancora avevo tempo e modo di sollevarmi dall'ignominia! Non era ancora troppo tardi. Volevo dimostrare al mondo intero che ero ancora capace di farlo. Camminando preparai in mano tutto il denaro fino all'ultimo centesimo. Curvatomi sul banchetto dei dolci come per acquistare qualche cosa, misi in mano alla vecchia tutto il denaro e senza dire una parola mi allontanai in fretta.

Che sensazione meravigliosa quella di sentirmi nuovamente onesto! Le tasche vuote non mi pesavano più. Era un vero piacere essere di nuovo senza un soldo. In realtà quel denaro mi aveva procurato molte pene segrete e ci avevo pensato molte volte con terrore. Non avevo un animo cattivo e la mia natura retta si era ribellata a un atto così vile. Grazie al cielo, ero risorto nella stima di me stesso. Fatelo anche voi! dicevo guardando la piazza brulicante di gente, imitatemi un po'! A una povera vecchia avevo dato una gioia senza uguali. Certamente era rimasta sconcertata e felice. Quella sera i suoi figli non sarebbero andati a letto affamati... A questo pensiero mi montavo la testa e mi pareva di essermi comportato magnificamente. Grazie a Dio, quel denaro non era più nelle mie mani!

Ubriaco e nervoso passavo per le strade, ed ero gonfio di orgoglio. Quale gioia poter andare incontro a Ylajali onesto e puro, poterla guardare in faccia! Una gioia che mi travolgeva, tanto ero ubriaco. Non sentivo più dolori, la mia testa era vuota e limpida e mi pareva di avere sulle spalle una testa fatta di luce. Avevo una voglia matta di commettere sciocchezze, di buttare all'aria la città e di fare chiasso. Per tutta la Graense mi comportavo come uno cui avesse dato di volta il cervello. Sentivo nelle orecchie un leggero ronzio, l'ubriacatura era arrivata alla testa. Entusiasmato dal mio folle ardire mi venne voglia di dire la mia età a un facchino, che non mi aveva rivolta la parola, di stringergli la mano, di guardarlo bene negli occhi e di piantarlo lì senza alcuna spiegazione. Nella voce dei passanti distinguevo ogni sfumatura. Distinguevo le loro risate. Osservavo gli uccelli che saltellavano davanti a me per la strada, studiavo le pietre del selciato e vi scoprivo ogni sorta di segni e di figure. Così arrivai fin nella piazza dello Storting.

Mi fermai improvvisamente a guardare le carrozze. I cocchieri passeggiavano lì intorno chiacchierando fra loro. Il tempo era orribile e i cavalli stavano a testa china. «Andiamo!» dissi fra me dandomi lo slancio coi gomiti. Raggiunsi di corsa la prima carrozza e montai. «Ullevaalsveie, numero 37» esclamai, e partimmo.

Durante il tragitto il cocchiere si volse a sbirciare nella vettura. Aveva qualche sospetto? Indubbiamente. Ero così mal vestito!

«Ho là un appuntamento con un tale!» dissi per prevenirlo. E gli spiegai in lungo e in largo che avevo bisogno di trovare quel tale a ogni costo.

Ci fermammo davanti al numero 37, io scesi d'un balzo, montai le scale fin su all'ultimo piano dove tirai il campanello. Lo sentii risuonare a lungo... Spaventevole!

Un rumore di passi. Una ragazza venne ad aprire. La guardai, vidi che aveva gli orecchini d'oro e i bottoni neri al grembiule grigio. Mi guardò spaventata.

Chiesi di Kierulf, Joachim Kierulf insomma, di professione commerciante in lane, impossibile sbagliarsi...

La domestica scosse il capo. «Qui non abita nessun Kierulf» disse, e guardandomi con tanto d'occhi fece per chiudere la porta. Non pensava neanche lontanamente di cercare l'uomo che volevo. Avevo veramente l'impressione che conoscesse quella persona, ma che non avesse alcuna voglia di pensarci, quella sfacciata. Indispettito le volsi le spalle e scesi. «Non è in casa!» dissi al cocchiere.

«Non c'è?».

«No. Portatemi adesso nella Tomtegate, numero 11».

Ero in uno stato di folle agitazione e il cocchiere ne subì il contagio. Credette davvero che fosse una questione di vita o di morte e filò via facendo schioccare continuamente la frusta.

«Come si chiama questa persona?» domandò da cassetta voltandosi indietro.

«Kierulf, commerciante in lane».

E anche il cocchiere parve dell'opinione che non ci si potesse assolutamente sbagliare. Non portava di solito un soprabito chiaro?

«Come? Un soprabito chiaro?» esclamai. «Voi siete matto. Credete forse che vada in cerca di un infermiere?». Quel soprabito chiaro mi contrariava e mi rovinava l'immagine che mi ero fatto di quell'uomo.

«Come avete detto che si chiama? Kierulf?».

«Proprio così» risposi. «C'è qualche cosa di strano? Del nome non c'è mai da vergognarsi».

«Non è rosso di capelli?».

Poteva darsi benissimo che avesse i capelli rossi e, poiché lo aveva detto lui, fui subito d'accordo. Ero molto grato a quel povero cocchiere e gli confermai che aveva descritto esattamente l'uomo. Era proprio come aveva detto. Del resto sarebbe stato strano, osservai, se un uomo così non avesse avuto i capelli rossi.

«Sì, dev'essere un mio cliente» confermò il cocchiere. «Porta sempre un bastone nodoso».

Ora lo vedevo chiaramente davanti a me. Perciò dissi: «Già, nessuno l'ha mai visto senza quel bastone nodoso. In quanto a questo potete star sicuro, sicurissimo».

Era chiaro dunque che si trattava proprio di quel suo cliente. Egli se lo ricordava... e viaggiavamo a una tale velocità che gli zoccoli dei cavalli sprizzavano scintille.

In quel mio stato di eccitazione non perdetti la presenza di spirito nemmeno un istante. Passando davanti a una guardia notai che aveva il numero 69. Quel numero mi fece l'effetto di una botta crudele, mi si conficcò nel cervello come una scheggia, 69, esattamente 69, da non dimenticare!

Mi distesi sul sedile in preda alle idee più folli, mi rannicchiai sotto il mantice perché nessuno vedesse che movevo le labbra e incominciai a parlottare da solo come un idiota. La pazzia infuriava nel mio cervello e io non reagivo, ben sapendo di essere in balia di forze che non potevo più dominare. Ridevo in silenzio senza alcuna ragione, allegro e ubriacato da quel paio di boccali di birra che avevo bevuto. A poco a poco la mia agitazione si calmò e fui più tranquillo. Sentivo un gran freddo al dito ferito e lo infilai nel colletto della camicia per trovare un po' di caldo. Arrivai nella Tomtegate, il cocchiere si fermò.

Scesi lentamente con la testa vuota e pesante, entrai in quella casa, trovai un cortile, lo attraversai, incontrai una porta, entrai in un corridoio che pareva un'anticamera, con finestre. In un angolo c'erano due valigie, l'una sopra l'altra, e lungo la parete un vecchio divano di legno naturale con sopra una coperta. Dalla stanza a destra udii voci e strilli di bambini e sopra di me, al secondo piano, un martello che batteva su una lastra di ferro. Entrando notai tutto ciò con la massima chiarezza.

Attraversai tranquillamente l'anticamera verso la porta opposta, senza alcuna fretta, senza pensare a una fuga, aprii e mi trovai nella Vognmandsgate. Mi volsi a guardare la casa in cui ero passato e lessi sopra la porta: «Ristorante e alloggio per viaggiatori».

Non pensai neanche lontanamente di cercare di scappare piantando là il cocchiere che mi aspettava. Passai tranquillamente per la Vognmandsgate senza alcun timore, senza la coscienza di commettere un torto. Kierulf, il commerciante in lane, che mi danzava nel cervello come uno spettro, l'uomo che avevo inventato e che dovevo incontrare a tutti i costi, era ormai scomparso dai miei pensieri, già spento insieme con le altre idee folli che vi si alternavano. Lo ricordavo solo vagamente, come una cosa molto lontana.

A poco a poco ritornai alla realtà e procedendo per le strade mi sentivo torpido e abbattuto e strascicavo i piedi. La neve cadeva ancora come una pioggia di cenci bagnati. Infine mi trovai presso la chiesa di Groenland. Mi sedetti su una panchina a riposare e, mentre i passanti mi guardavano con stupore, mi abbandonai ai miei pensieri.

Santo cielo, com'ero ridotto male! Ero tanto stufo e stanco di quella vita miserabile che mi pareva non valesse più la pena di lottare. La sventura aveva preso il sopravvento e mi aveva trattato troppo brutalmente. Ero come annientato, non più che un'ombra, ormai, di quello che ero stato un tempo. Avevo le spalle curve e avevo preso l'abitudine di camminare piegato in due per risparmiare un po' i polmoni. Pochi giorni prima avevo passato in rassegna il mio corpo, un pomeriggio lassù nella mia camera, e non avevo fatto che piangere. Da molte settimane portavo la stessa camicia. Era rigida di sudore invecchiato e mi aveva prodotto una leggera abrasione all'ombelico. Dalla ferita usciva un po' di siero sanguigno, ma non faceva male. Però era ben doloroso vedere quella ferita sul mio corpo. Non sapevo a che santo votarmi. Da sé non voleva guarire; perciò la lavai, l'asciugai con cura e indossai ancora la medesima camicia. Che dovevo fare?...

Seduto su quella panchina ripensavo a tutte queste cose ed ero assai malinconico. Avevo ribrezzo di me stesso. Persino le mani mi parevano ripugnanti. L'aspetto trasandato e impudente delle mani mi dava pena e disgusto. Le dita magre e sottili mi sembravano rozze e grossolane. Odiavo il mio corpo afflosciato, rabbrividivo all'idea di doverlo portare, di doverlo sentire. Dio mio, almeno avessi potuto farla finita! Sarei morto tanto volentieri.

Sconfitto, umiliato e pieno di vergogna mi alzai meccanicamente e ritornai a casa. Per la strada passai davanti a una porta sopra la quale c'era scritto: «Addobbi funebri presso la signora Andersen, nel portico, a destra». Antichi ricordi! dissi fra me pensando alla mia stanza di Hammersborg, alla sediolina a dondolo, ai giornali attaccati sulla porta, all'annuncio del direttore dei Fari e al pane fresco del fornaio Fabian Olsen. Eh sì, allora stavo molto meglio. In una notte avevo scritto un articolo per dieci corone. Ora non ero più capace di scrivere. Non sapevo scrivere assolutamente niente. Appena ne facevo il tentativo la testa mi si vuotava. Ormai bisognava finirla! E camminavo, camminavo.

Quanto più mi avvicinavo al negozio di coloniali, tanto più sentivo istintivamente che mi avvicinavo a un pericolo. Ma non abbandonai il mio proposito: volevo costituirmi. Salii tranquillamente i gradini del negozio. Sulla soglia incontrai una bimba con una tazza in mano. Le passai accanto ed entrai. Per la seconda volta mi trovai di fronte al commesso.

«Oh,» disse «tempo orribile oggi».

Dove voleva arrivare? Perché non mi aggrediva subito afferrandomi per il petto? Infuriato gridai: «Non sono mica venuto per discorrere del tempo».

La mia agitazione lo sbalordì, il suo piccolo cervello di mercante rimase inceppato. Dunque non si era reso conto del fatto che l'avevo imbrogliato di cinque corone.

«Ma non vi siete accorto della mia truffa?» esclamai impaziente, respirando affannosamente, tremando, sapendo che se non fosse entrato subito in argomento, gli avrei messo le mani addosso. E quel povero diavolo non immaginava niente.

Con che gente stupida si è costretti a vivere! Lo investii, gli spiegai per filo e per segno come erano andate le cose, gli mostrai dov'ero io, dov'era lui in quel momento, dov'era stato il denaro e come l'avevo stretto nella mano... e lui, pur comprendendo tutto, non mi faceva nulla. Si voltava di qua e di là, tendeva l'orecchio verso la stanza attigua, cercava di farmi tacere o almeno abbassare la voce e disse finalmente: «Però, è stata un'azione piuttosto meschina».

«Aspettate, aspettate, non è tutto!» dissi soltanto per contraddirlo e stuzzicarlo. Spiegai che non era stata una azione così bassa e gretta come se la figurava lui, con quella zucca di bottegaio. Non avevo mica tenuto quel denaro, neanche per sogno. Non potevo certo cavarne un vantaggio personale, sarebbe stato contrario al mio carattere profondamente onesto...

«E che cosa avete fatto di quei soldi?».

Ecco, se proprio voleva saperlo, li avevo dati a una povera vecchia fino all'ultimo centesimo. Ero fatto così, non potevo fare a meno di pensare ai poveri... Quello rimase lì a riflettere, evidentemente non sapeva se considerarmi un individuo onesto o no. Alla fine disse: «Ma non avreste fatto meglio a restituirmi quel denaro?».

«Oh guarda, questa è bella!» risposi sfacciatamente. «Non volevo che voi aveste delle noie. Volevo risparmiarvi ogni seccatura! Ed ecco la gratitudine, quando si è gentiluomini. Vengo qua, vi spiego tutta la storia e voi non vi vergognate nemmeno, non muovete un dito per eliminare il nostro conflitto. Io sono innocente e me ne lavo le mani. E voi andate pure all'inferno! Addio!».

E uscii sbattendo la porta.

Ma quando mi ritrovai nella mia stanza, in quel buco desolato, e mi vidi tutto bagnato dalla neve acquosa, con le ginocchia tremanti, sfinito dalle camminate della giornata, il mio umore arrogante svanì, e fui preso di nuovo dallo sconforto. Mi pentii di aver aggredito quel povero venditore di aringhe, piansi, mi presi alla gola per punirmi di tanta vigliaccheria e me ne dissi di tutti i colori. Quel poveraccio aveva avuto un terrore mortale: rischiava il posto. Naturalmente non aveva osato reagire per quelle cinque corone che il negozio aveva perduto. E io avevo approfittato della sua paura, l'avevo torturato con le mie grida, l'avevo ferito con le mie frasi! E il padrone era forse nella stanza vicina e poteva venire da un momento all'altro a vedere che cosa succedeva. La bassezza della quale ero capace era quasi incredibile.

Ma perché non mi avevano arrestato? Sarebbe finito tutto una volta per sempre. Eppure avevo porto i polsi alle manette. Più di così non potevo fare! Non avrei opposto la minima resistenza. Tutt'altro. Dio del cielo e della terra, un giorno di vita per un istante felice! Tutta la mia vita per un piatto di lenticchie! Esaudiscimi almeno questa volta!

Mi coricai senza togliermi l'abito bagnato. Avevo la vaga sensazione che quella notte sarei potuto morire. E raccolsi le ultime forze per rifarmi il letto: l'indomani mattina ci sarebbe stato almeno un po' di ordine. Giunsi le mani e cercai una bella posa.

Improvvisamente mi ricordai di Ylajali. Come avevo potuto dimenticarla tutta la sera? E di nuovo un po' di luce mi filtrò nell'anima, un sottile raggio di sole che mi scaldò come una benedizione. E altri raggi seguirono, una luce solare mite e pacata, dolce e inebriante come una carezza. E il sole si fece sempre più forte e intenso e mi ardeva le tempie e mi coceva il cervello, finché davanti agli occhi vidi divampare un rogo di raggi folli: ardeva il cielo, ardeva la terra! uomini e animali di fuoco, monti in fiamme, diavoli ardenti, un abisso, un deserto, un universo incendiato: il giorno del giudizio crepitante e fumante.

Poi non vidi più nulla, non udii più nulla...

Il mattino seguente mi svegliai bagnato di sudore. Tutto bagnato, sì, ed era la febbre che mi aveva fatto sudare. Dapprima la mia coscienza era confusa, non capivo che cosa fosse successo, mi guardavo intorno sbalordito, mi pareva di essere un altro, di aver cambiato natura, non mi riconoscevo più. Mi palpai le braccia e le gambe, stupefatto di vedere la finestra da quella parte e non dal lato opposto, e udivo scalpitare i cavalli nel cortile e mi pareva che fossero sopra di me. Avevo la nausea e mi sentivo i capelli appiccicati e gelati sulla fronte. Poggiando sul gomito guardai il cuscino: c'erano molti ciuffetti di capelli umidi. Durante la notte mi si erano gonfiati i piedi nelle scarpe, ma non mi facevano male: soltanto non riuscivo ad articolare le dita.

Verso sera, era già il crepuscolo, mi alzai e tentai di muovermi, prima a passi brevi e guardinghi, badando a non perdere l'equilibrio e cercando di risparmiare possibilmente i piedi. Non avevo forti dolori e non piangevo. Nell'insieme non ero triste, anzi mi sentivo beato e contento. Non mi venne neanche il pensiero che la situazione potesse essere diversa da quella che era.

Poi uscii.

L'unica cosa che mi torturava un poco, nonostante il disgusto del cibo, era la fame. Avevo di nuovo un appetito formidabile, una voglia di divorare avidamente che diventava sempre più acuta e cattiva. Mi sentivo rodere lo stomaco senza misericordia: pareva vi si svolgesse un lavorio strano e silenzioso, che ci fossero alcune dozzine di animaletti graziosi: essi posavano la testina da una parte e rosicchiavano un poco, la posavano dall'altra e rosicchiavano un altro poco, poi stavano fermi un momento e ricominciavano, mordevano senza rumore e senza fretta e, dove arrivavano, lasciavano il vuoto e il deserto.

Non ero malato, ero soltanto fiacco e incominciai a sudare. Decisi di andare in piazza del mercato per riposarmi. La strada era lunga e faticosa. Ma infine ero quasi arrivato. Ero all'angolo fra la piazza e la Torvgate. Il sudore mi colava negli occhi, mi appannava gli occhiali, mi rendeva cieco. Mi ero fermato appunto per asciugarmi il sudore. Non sapevo dove fossi né ci pensavo. Intorno a me c'era un grande frastuono.

A un tratto udii un grido secco: «Attento!». Udii il grido, lo udii benissimo, e mi scansai con quella rapidità che mi consentivano le mie povere gambe. Un carro di pane mi passò accanto come un mostro in fuga e la ruota mi sfiorò la giacca. Se fossi stato un po' più svelto, non mi sarebbe accaduto nulla. E forse avrei potuto essere un po' più svelto, un tantino più svelto, se avessi raccolto tutte le forze. Ma ormai era fatta. Un piede mi doleva: avevo due dita schiacciate. Sentivo che mi si erano rattrappite dentro la scarpa.

Il conducente diede uno strattone alle briglie e fermò il veicolo. Si volse e domandò atterrito se mi ero fatto male. Sì... ma poteva essere peggio... niente di grave... mi pareva che il piede non fosse rotto... Oh, non importa...

Mi trascinai al più presto possibile verso una panchina. La gente che si era fermata a guardarmi a bocca aperta mi dava soggezione. Non era poi stato un colpo mortale. Pur avendo la solita sfortuna me l'ero cavata a buon mercato. Il peggio era che la scarpa mi si era aperta in due: sulla punta la suola si era staccata. Alzai il piede e vidi che la punta della scarpa era insanguinata. Ma non era stata colpa di nessuno. Quell'uomo non aveva certo inteso aumentare le mie sciagure. Era molto spaventato. Se gli avessi chiesto uno dei pani che aveva nel carro, forse l'avrei ottenuto, anzi certamente me l'avrebbe dato con piacere. Dio gliene renda merito!

Avevo una fame atroce. Avevo tanta fame che non sapevo dove battere la testa. Mi torcevo sulla panchina e premevo le ginocchia contro il petto. Quando fu buio mi trascinai fino al Municipio. Dio solo sa come vi potei giungere. Là sedetti sulla ringhiera della scalinata. Mi strappai una tasca dalla giacca, me la ficcai in bocca e mi misi a masticare, ma senza pensarci, aggrottando la fronte: i miei occhi guardavano nel vuoto senza vedere. Intorno c'erano alcuni ragazzi che giocavano. Li udivo come attraverso una nebbia, e così udivo i passanti. Ma non pensavo a nulla, non vedevo nulla, non udivo nulla.

A un certo punto mi venne in mente che avrei potuto andar a prendere un pezzo di carne cruda al mercato della carne. Mi alzai, salii di sbieco la gradinata del Municipio, e, giunto all'altezza dei chioschi dei macellai, scesi e mi trovai quasi in mezzo alle bancarelle. Allora mandai una voce su per le scale come se comandassi a un cane di rimanere lassù e mi rivolsi audacemente al primo macellaio che mi trovai davanti: «Sentite, fatemi un piacere, datemi un osso per il cane. Soltanto un osso. Non occorre che ci sia carne attaccata. Basta che abbia qualche cosa da mettere sotto i denti».

E ricevetti un osso, un osso bellissimo al quale era attaccato anche un po' di carne. Me lo infilai sotto la giacca e ringraziai con tanta effusione che il macellaio mi guardò stupefatto. «Non c'è di che» disse.

«Oh, non dite così» sussurrai. «Siete molto gentile».

E risalii le scale con un gran batticuore. M'internai in un vicolo, lo Smedgang, e mi fermai presso una vecchia porta sgangherata. Non si vedeva alcuna luce accesa. Quel buio era il benvenuto. E incominciai a rosicchiare l'osso.

Non sapeva di niente. Puzzava di sangue guasto e mi venne subito da rigettare. Provai una seconda volta: se riuscivo a tenerla nello stomaco, la carne doveva pur agire. Il difficile era tenerla. Infatti fui costretto a rimetterla. Montai in collera, morsi furiosamente la carne, ne strappai un brandello e lo inghiottii per forza. Inutile. I pezzetti di carne, appena si scaldavano nello stomaco, ritornavano su. Stringevo i pugni, piangevo dalla disperazione e masticavo come un ossesso. L'osso era tutto bagnato dalle mie lagrime e non facevo che rimettere bestemmiando e rosicchiando, mentre pareva che il cuore mi scoppiasse. E a gran voce sacramentavo contro tutte le gerarchie celesti.

Silenzio. Non un'anima intorno a me, non un lume, non un suono. Avevo dentro un tumulto orrendo, gemevo e piangevo digrignando i denti ogni volta che vomitavo quei brandelli di carne che forse avrebbero potuto saziarmi. Ma ogni tentativo era vano, e finii per scagliare l'osso con odio rabbioso contro la porta gridando e alzando i pugni minacciosi al cielo, stringendo le dita come artigli e urlando con voce rauca e impotente il nome di Dio. «Ascolta, Baal del cielo, so che non c'è Baal, che non c'è Dio! Perché se ci fosse, se tu esistessi, ti maledirei fino a far tremare il firmamento sopra le fiamme dell'inferno. Ascolta! io volevo servirti, ma tu hai rifiutato i miei servigi, tu mi hai respinto, e io ti volgerò le spalle per sempre, perché non hai colto il tuo momento. Ascolta: so che devo morire, Api del cielo, eppure ti insulto, anche se sono a un passo dalla morte. Tu hai usato la violenza contro di me e non sai che non mi piegherò mai e poi mai nella sventura. Non dovresti saperlo? Hai creato il mio cuore dormendo? Io ti dico che tutta la mia vita e ogni mia goccia di sangue è felice di insultarti e di sputare sulla tua faccia. Da questo momento rinnegherò tutte le tue gesta e la tua natura, maledirò il mio pensiero se si rivolgerà a te sia pure una volta sola, e mi strapperò la lingua dalla bocca se dovessi pronunciare ancora il tuo nome. Se ci sei davvero, questa è l'ultima parola che ti dico nella vita e nella morte, ti saluto e taccio ormai e ti volgo le spalle e me ne vado per la mia strada...».

Silenzio.

Demoralizzato e fremente, me ne stavo là tremando, sibilando maledizioni e bestemmie, singhiozzando e versando lagrime ardenti, affranto dalla mia ira folle e impotente. Ahimè, tutto ciò di cui ero stato capace in quel mio abbandono era stato un discorso retorico e libresco. Così stetti là forse ancora una mezz'ora, singhiozzando e mormorando e tenendomi aggrappato alla porta. Ed ecco voci... due uomini che discorrono... che si avvicinano... sono entrati nello Smedgang. Mi allontano strisciando lungo le case e ritorno nelle vie illuminate. Ed ecco, mentre scendo barcollando per la Youngs Gate, il mio cervello ricomincia a lavorare in modo curioso: mi viene in mente che quelle misere baracche laggiù al mercato, quelle botteghe cadenti piene di stracci vecchi sciupano tutta la zona, rovinano la piazza del mercato, sono una vergogna per tutta la città. Che schifo! Via quel ciarpame! E andando avanti incominciai a calcolare quanto poteva costare il trasferimento di tutto l'Istituto Geografico, di quel bell'edificio che ammiravo ogni volta che gli passavo davanti. Trasportarlo al posto di quelle baracche poteva costare certamente dalle settanta alle settantaduemila corone: una bella sommetta senza dubbio, un bel gruzzoletto, almeno per incominciare. E annuivo con la testa vuota, ammettendo che era certo un bel gruzzoletto, almeno per incominciare. Rabbrividivo in tutto il corpo e dopo aver finito di piangere singhiozzavo ancora di quando in quando. Sentivo dentro di me che non avevo ancora molto da vivere e che ero arrivato all'ultimo buco della cinghia. Del resto mi era abbastanza indifferente, non me ne preoccupavo di certo. Tutt'altro. Scesi al porto, sui moli, allontanandomi quindi sempre più da casa mia. Avrei anche potuto distendermi tranquillamente in mezzo alla strada e morire. A poco a poco i miei dolori si erano smorzati. Mi sentivo solo bruciare orrendamente il piede ferito; anzi ebbi poi l'impressione che quel dolore mi si propagasse per tutto il corpo. Ma non faceva poi tanto male: avevo sopportato di peggio.

Così arrivai pian piano alla banchina della ferrovia. Non c'era traffico, non c'era rumore, soltanto qua e là un uomo, uno scaricatore o un marinaio con le mani nelle tasche dei calzoni. Notai un tale che zoppicava: passandomi vicino mi lanciò un'occhiata torva. Senza pensarci lo fermai... mi tolsi il cappello e gli domandai se *La Suora* era già partita. E, non so perché, gli schioccai le dita proprio davanti al naso. E dissi: «Sì, per Dio, *La Suora*!».

*La Suora!* L'avevo quasi dimenticata. Il pensiero di quella nave aveva dormito nella mia mente incosciente e l'avevo portato dentro di me senza saperlo.

Già, già: *La Suora* era partita da un pezzo. Ma non sapeva dirmi almeno per dove?

Quello rifletté fermo sulla gamba più lunga, tenendo sospesa la più corta e dondolandola un po'.

«No» rispose. «Sapete che cosa abbia caricato?».

«Non so» replicai. Ma ormai avevo dimenticato anche *La Suora*. Domandai quanta strada ci fosse di lì fino a Holmestrand calcolando la distanza in care vecchie miglia norvegesi.

«Fino a Holmestrand? Ci saranno circa...».

«Oppure fino a Veblungsnes?».

«Dicevo: credo che fino a Holmestrand...».

«Già, prima che mi dimentichi,» lo interruppi ancora «volete avere la compiacenza di darmi un pizzico di tabacco, un pizzico soltanto?».

Egli mi diede un po' di tabacco, io lo ringraziai calorosamente e me ne andai. Il tabacco non me lo misi in bocca, ma in tasca. Quell'uomo mi seguiva con lo sguardo. Forse avevo destato in lui qualche sospetto. Continuavo a sentirmi addosso quel suo sguardo diffidente. Non potevo sopportare di essere perseguitato in quel modo. Mi volsi, lo raggiunsi barcollando e gli gridai: «Ciabattino!». Soltanto questa parola: «Ciabattino» e nient'altro. E lo guardai negli occhi. Sentivo che lo fissavo con due occhi spiritati. Mi pareva di guardarlo da un altro mondo. Mi fermai alcuni istanti e poi ritornai verso il piazzale della stazione. Quello non aveva detto una parola, ma mi teneva d'occhio continuamente.

Ciabattino? Mi fermai. Certo, l'avevo capito subito. Quello sciancato l'avevo già incontrato una volta lassù alla Graense una mattina che c'era tanto sole! Allora ero andato a impegnare il panciotto. Mi pareva che fosse passata un'eternità.

Mentre ci stavo pensando appoggiato al muro di una casa, mi riscossi improvvisamente e feci per trascinarmi avanti. Ma non ci riuscii. Alla fine guardai di fronte a me, costernato e confuso, cercando di nascondere il mio imbarazzo: mi trovavo a faccia a faccia col Commendatore.

Improvvisamente non ebbi più vergogna: mi staccai dal muro e avanzai di un passo. Volevo che mi vedesse. Non per muoverlo a compassione, ma soltanto per ironia di me stesso, per mettermi alla berlina. Avrei potuto buttarmi nella polvere, rotolarmi in mezzo alla strada e pregare il Commendatore di calpestarmi, di camminarmi sul viso! Non trovai neanche la forza di dire buona sera.

Il Commendatore probabilmente intuì che avevo qualche cosa da dirgli. Mentre rallentava il passo, gli dissi per trattenerlo: «Volevo venire a portarvi qualche cosa, ma non ho potuto terminare».

«Davvero?» rispose, e domandò: «Non avete ancora terminato?».

Ma la gentilezza del Commendatore mi fece venire le lagrime agli occhi. Mi raschiai la gola e tossii per darmi un contegno. Il Commendatore si lisciò il naso col pollice e mi guardò: «Ma intanto avete di che vivere?».

«No,» risposi «non ho niente. Oggi non ho mangiato. Però...».

«Santo cielo, ma non potete andare avanti così! Morirete di fame!» disse, e aveva già la mano in tasca.

Allora il mio amor proprio risorse e mi riappoggiai al muro mentre il Commendatore frugava nel portafogli. Stavo zitto. Ed egli mi porse un biglietto da dieci corone, così senza complimenti mi dava dieci corone, e ripeteva che non era giusto che morissi di fame.

Balbettai qualcosa... come per rifiutare... e non volli prendere il biglietto; mi vergognavo... e poi era troppo...

«Ma andiamo, che sciocchezze!» esclamò guardando l'orologio. «Ero venuto ad aspettare il treno. Ed ecco che arriva».

Presi il denaro. Ero paralizzato dalla gioia. Non dissi una parola, non ringraziai nemmeno.

«Non c'è nulla di cui dobbiate vergognarvi» concluse il Commendatore. «So benissimo che in compenso potete scrivere qualche cosa». E se ne andò.

Quando si fu allontanato di alcuni passi, mi accorsi che non lo avevo ringraziato. Tentai di raggiungerlo, ma non potevo camminare abbastanza in fretta. Le gambe si rifiutavano. Per poco non caddi lungo disteso. La distanza fra lui e me andava aumentando. Rinunciai quindi a rincorrerlo. Feci per gridargli una parola di ringraziamento, ma non ne ebbi il coraggio. Quando finalmente osai dargli una voce, era scomparso da un pezzo. La mia voce era troppo fioca. Rimasi dunque sul marciapiede a guardare in quella direzione e a piangere in silenzio. «Una cosa simile non mi era ancora capitata» dicevo tra me. «Mi ha dato dieci corone!». Tornai indietro e mi misi nel punto dove si era fermato e rifeci tutti i suoi movimenti. Avvicinai il biglietto agli occhi umidi, lo esaminai da una parte e dall'altra e imprecai: era proprio vero! Tenevo in mano un biglietto da dieci corone!

Poco dopo, forse anche molto dopo perché dappertutto s'era fatto silenzio, mi trovai chissà come davanti al numero 11 della Tomtegate. Là avevo ingannato un cocchiere che mi ci aveva portato, quella era la casa che avevo attraversato senza che nessuno mi vedesse. Mi fermai canticchiando fra me... entrai un'altra volta in quella casa e raggiunsi difilato il «Ristorante e alloggio per viaggiatori». Chiesi ricovero e ricevetti subito un letto.

Martedì.

Sole e silenzio. Una giornata stupenda, radiosa. La neve era scomparsa. Dappertutto vita e gioia, visi sereni, sorrisi e risate. Le fontane lanciavano i loro zampilli che ricadevano scintillando mentre il sole li impregnava d'oro e il cielo di azzurro...

Verso mezzogiorno lasciai l'alloggio nella Tomtegate dove abitavo ancora e dove mi godevo le dieci corone del Commendatore. Andai in centro ed ero di ottimo umore; e tutto il pomeriggio girellai per le strade più animate osservando la gente. Non erano ancora le sette quando attraversai la piazza Sankt Olav e lanciai un'occhiata furtiva alle finestre del numero 2. Tra un'ora dovevo rivederla! In tutto quel tempo provai un'ansietà lieve e deliziosa. Che cosa sarebbe accaduto? Che cosa dovevo dirle quando sarebbe scesa nella strada? Buona sera, signorina? O sorridere soltanto? Decisi di limitarmi al sorriso. S'intende che l'avrei anche salutata rispettosamente.

Mi allontanai di soppiatto vergognandomi di essere arrivato troppo presto. Passeggiai un poco per la via Karl Johan senza mai perdere di vista l'orologio dell'Università. Quando furono le otto rifeci la via dell'Università verso la piazza Sankt Olav. Pensai che potevo essere in ritardo di qualche minuto e allungai il passo. Il piede mi faceva molto male, ma per il resto stavo benone.

Andai a mettermi vicino alla fontana per prender fiato. Aspettai a lungo guardando le finestre del numero 2. Lei non veniva. Pazienza: avevo tempo, potevo aspettare, non avevo fretta. Forse era intervenuto qualche impedimento. Aspettavo. Non avevo mica sognato? Il mio primo incontro con lei non era stato forse un'immaginazione di quella notte febbrile? Perplesso ci pensavo e ripensavo e non ero ben sicuro di me.

«Ehm» udii alle mie spalle. Sentii benissimo quel colpetto di tosse e anche un passo leggero e vicino. Ma non mi voltai. Ero come affascinato dalla gradinata là davanti.

«Buona sera» sentii dire. Mi dimenticai di sorridere e lì per lì non mi levai neanche il cappello. Tanto ero stupito che fosse venuta da quella parte.

«Avete aspettato molto?» domandò. Era un po' affannata. Doveva aver camminato in fretta.

«No, affatto, sono appena venuto» risposi. «D'altro canto non sarebbe niente di male se avessi realmente aspettato un poco. Poi pensavo che veniste da un'altra parte».

«Ho accompagnato la mamma da nostri conoscenti. La mamma questa sera è invitata da loro».

«Ho capito» dissi, e ci avviammo. Una guardia all'angolo della strada ci stava osservando.

«Dove andiamo?» domandò lei fermandosi.

«Dove volete, dove volete voi».

«No, non voglio essere io a decidere».

Una pausa.

Poi, tanto per dire qualche cosa osservai: «Le vostre finestre, come vedo, sono buie».

«Appunto!» rispose vivacemente. «Anche la domestica ha libera uscita. Sono sola in casa».

E ci fermammo tutti e due a guardare le finestre del numero 2, come se non le avessimo mai viste.

«Non potremmo salire in casa?» proposi. «Se credete, potrei rimanere tutto il tempo seduto davanti alla porta...».

Ma ora tremavo. Ero pentito del mio ardire. E se l'avessi offesa e se ne fosse andata? E non rivederla mai più? Oh, l'abito miserabile che portavo! Disperato aspettavo la risposta.

«Non occorre affatto che stiate seduto vicino alla porta» replicò lei.

Salimmo in casa.

Il corridoio era buio e lei mi prese per mano e mi guidò. Non era necessario che stessi così zitto ora, mi disse, potevo parlare tranquillamente. Entrammo e mentre faceva luce (non accese la lampada, ma una candela), mentre dunque accendeva la candela disse con un piccolo riso: «Non dovete guardarmi! Mi vergogno! Ma non lo farò più».

«Che cosa non farete più?».

«Non... Dio mio, non... non vi bacerò più».

«Mai più?» domandai e tutti e due ci mettemmo a ridere. Tesi le braccia verso di lei, ma ella si scansò e si fermò all'altro capo della tavola. Eravamo silenziosi e ci guardammo un istante. La candela ardeva fra me e lei.

Mentre si scioglieva il velo e posava il cappello, i suoi occhi allegri mi guardavano e osservavano ogni mio movimento. Non voleva lasciarsi prendere. Mossi di nuovo all'attacco, ma inciampai nel tappeto e caddi. Il piede ferito si rifiutava di reggermi. Mi alzai con molta fatica.

«Oh Dio, come siete arrossito!» esclamò. «Ma siete proprio maldestro!».

«È vero» e mi mossi ancora zoppicando.

«Siete zoppo?».

«Credo di esserlo un pochino, ma poco poco».

«L'altra volta avevate male a un dito. Oggi avete male a un piede. Che sfortuna! È spaventevole!».

«Un carro mi è venuto addosso... alcuni giorni or sono».

«Siete andato sotto un carro? Di nuovo ubriaco? Ma come si fa a vivere così?» e minacciandomi con l'indice aggrottò la fronte. «Adesso possiamo sederci» soggiunse. «No, non vicino alla porta. Siete troppo timido. Qui! Voi qui e io qui. Ecco, così va bene... Oh, come sono noiosi questi uomini impacciati! Bisogna dire tutto e fare tutto da sé. Non ti aiutano mai. Perché, per esempio, non mettete il braccio sulla spalliera della mia sedia? Potete farlo senz'altro. L'idea poteva venire anche a voi. Quando dico queste cose, spalancate gli occhi come se non credeste alle vostre orecchie. Sì, è proprio vero, l'ho osservato più volte. Ecco, anche adesso lo fate. Non mi verrete a contare che siete sempre così ingenuo. Salvo che talvolta vi manca il coraggio. Quella volta per la strada, quando eravate ubriaco, siete stato piuttosto intraprendente, mi avete inseguito fino a casa e tormentato con le vostre spiritosaggini. "Signorina, state perdendo il libro! Sì, signorina, perdete il libro". Ah, ah, ah! Uh, eravate proprio antipatico». Io stavo a guardarla affascinato. Il cuore mi batteva con violenza, il sangue bollente mi gonfiava le vene. Com'era bello stare in una casa, vicino a un'altra creatura! Un orologio ticchettava; io potevo discorrere con una fanciulla giovane e fresca; non ero più costretto a parlare da solo!

«Perché non parlate?».

«Come siete dolce!» esclamai. «Me ne sto qui tutto preso di voi, in questo momento... tutto preso di voi! Che cosa dovrei fare? Siete la creatura più strana che... Ogni tanto i vostri occhi mandano baleni che non ho mai veduti, sembrano fiori. Che dico? No, forse non sembrano fiori, ma... sono innamorato di voi. Ecco, adesso lo sai. E sono senza speranze. Come ti chiami? Adesso me lo devi pur dire come ti chiami... Suvvia, dimmi come ti chiami! Pensa, quasi me ne dimenticavo. Ieri ci ho pensato tutto il giorno. Cioè, non proprio tutto il giorno. Anzi, sono sicuro, non ho pensato tutto il giorno a te... Sai come ti ho chiamata? Ti ho chiamata Ylajali. Ti piace il nome? Ha un suono così aereo...».

«Ylajali?».

«Sì».

«È un nome straniero?».

«Sì. Cioè no, veramente no».

«Non mi dispiace».

Dopo lunghe discussioni ci dicemmo i nostri nomi. Lei si sedette accanto a me sul divano e scostò la sedia con un piede. E di nuovo discorremmo insieme.

«Questa sera ti sei fatto anche la barba» osservò. «Nell'insieme oggi hai un aspetto migliore dell'altra volta. Ma poco, soltanto poco migliore. Non vorrei che ti dessi delle arie... L'altra volta sei stato davvero antipatico. E poi avevi al dito un'orribile benda. E in quelle condizioni pretendevi ancora di condurmi non so dove a prendere un bicchiere di vino! No, no, grazie!».

«Dunque non hai voluto venire con me, solo perché ero così mal vestito?» domandai.

«Ma no» protestò chinando gli occhi. «No davvero, non per questo. Non ci pensai nemmeno».

«Credi forse che possa vivere e vestirmi come voglio? Non posso. Sono molto povero».

Ella mi guardò.

«Davvero?».

«Proprio così».

Una pausa.

«In quanto a questo lo sono anch'io» concluse allegramente.

Ogni sua parola m'inebriava, mi dava alla testa come una goccia di vino. E anche se, in fondo, non era che una delle tante ragazze di Christiania, come loro maliziosa e intraprendente, e come loro dotata dei modi audaci e pungenti tipici delle ragazze di città, io ne ero estasiato, quando mi guardava, con la testa un po' reclinata sulla spalla, e quando mi ascoltava. E ne sentivo il respiro.

«Sai che...» dissi. «Ma ora non devi arrabbiarti... Ieri sera andando a letto ho steso questo braccio così, per te... come se ci dovessi stare tu. E così mi sono addormentato».

«Davvero?... Sei stato molto caro».

Una pausa.

«Ma così» disse poi «sei capace di comportarti... solo a distanza. Perché altrimenti...».

«Credi che altrimenti non ne sarei capace?».

«Appunto... Non ti credo capace...».

«Oh, da me puoi aspettarti qualunque cosa» dissi con vanteria. E le cinsi la vita con un braccio.

«Proprio?» disse lei e non aggiunse altro.

Mi seccava, mi offendeva di essere considerato troppo timido e contegnoso. Mi feci ardito e le presi una mano. Ma lei la ritirò piano piano e si scostò di un palmo. Rimasi scoraggiato e vergognoso e guardai la finestra. Ero davvero un poveraccio. Perché mi montavo la testa? Sarebbe stato ben diverso se l'avessi incontrata quando avevo ancora l'aspetto umano, ai miei bei tempi. E allora... e mi parve di essere annientato.

«Lo vedi?» disse. «Non avevo ragione? Basta un po' di cipiglio e sei a terra. Basta che mi scosti un pochino e resti lì tutto impacciato...» e rise di un riso malizioso con gli occhi chiusi, come non volesse essere guardata.

«Che dici?» sbottai. «La vedremo!». E le cinsi le spalle. Aveva smarrito la ragione? Mi credeva proprio tanto inesperto? Perbacco, glielo avrei... Nessuno doveva mai pensare che fossi un buono a nulla. Diavolo di ragazza! Se proprio bisognava arrivarci...

Ma rimasi inerte.

Lei se ne stava tranquilla e teneva ancora gli occhi chiusi. Nessuno dei due parlava. La strinsi con forza sul mio petto senza dire una parola. Sentivo il battito dei nostri cuori: era come uno scalpitio di cavalli in corsa.

E la baciai.

Non capivo più quel che facevo e dicevo sciocchezze.

Lei rideva, io le mormoravo sulle labbra parole carezzevoli, le accarezzavo le guance e continuavo a baciarla. Le slacciai un bottone della camicetta o due, le vidi il seno bianco e pieno, che spuntava dai merletti come un inatteso miracolo.

«Posso?» dissi e feci per sbottonare ancora, per sbottonare tutto. Ma ero troppo agitato e non riuscivo a slacciare gli ultimi bottoni. «Posso?... un poco... un poco soltanto...».

Mi cinse il collo con un braccio, lentamente, teneramente. Dalle narici rosee e tremanti le usciva un alito caldo che m'inondava il viso. Con l'altra mano ella stessa si sciolse la camicetta, un bottone dopo l'altro. Sorrideva imbarazzata e mi guardava, mi guardava: non vedevo che aveva paura? Scioglieva i nastri, si slacciava il busto e aveva tanta paura. E io con le mie mani rozze palpavo quei bottoni, quei nastri...

Per distogliere la mia attenzione da quel che faceva mi passò la sinistra sulle spalle dicendo: «Quanti capelli ti sono caduti!».

«Già» risposi... tendendo le labbra per baciarle il seno. Ormai era tutta discinta... Ma a un tratto si riscosse, sentì probabilmente di essere andata troppo oltre e, chiudendo la camicetta con le mani, si sollevò un tantino. Per nascondere l'imbarazzo riprese a parlare dei capelli che mi erano caduti sulle spalle.

«Come mai ti cadono tanti capelli?».

«Non so».

«Forse bevi troppo, e forse anche... No, non lo dico. Dovresti vergognarti. Da te non me lo sarei aspettato. Così giovane e perdi tanti capelli!... Adesso però mi racconterai come vivi. Naturalmente fai una vita orribile, immagino. Ma devi dire soltanto la verità, senza vergogna. Del resto, ti si vede negli occhi quando nascondi qualche cosa. Dunque racconta!».

Oh, com'ero stanco! Quanto avrei preferito star lì in silenzio a guardarla piuttosto che comportarmi così e continuare a tentare disperatamente... Non ero più capace di nulla, ero ridotto un cencio.

«Su, incomincia!» m'incoraggiò.

E io obbedii e le raccontai tutto e soltanto la verità. Non caricai le tinte, dissi le cose come erano. Non avevo nessuna intenzione di destare la sua compassione. Confessai anche che una sera avevo rubato cinque corone.

Lei stava a sentire a bocca aperta, pallida e angosciata, con un grande smarrimento negli occhi lucidi. Tentai di rimediare, di cancellare la triste impressione che doveva aver fatto la mia confessione. Mi feci forza: «Ma ora tutto è superato. Non credo possibile una ricaduta. Adesso sono al sicuro...».

Era molto perplessa. «Oh, mio Dio!» disse senza aggiungere altro. E ripeté poi quelle parole, lentamente, a intervalli: «Oh, mio Dio!».

Io ripresi a scherzare. Le feci il solletico, la trassi a me. Si era riabbottonata la camicetta e io ne ero indispettito. Perché aveva fatto così? Valevo meno ora che sapeva come non fossero le mie leggerezze a farmi cadere i capelli? Le sarei piaciuto di più se mi fossi spacciato per un uomo dissoluto? Niente sciocchezze, ora! Andare diritti alla meta, ecco il punto! E allora sapevo anch'io fare il mio dovere. Dovetti dunque ricominciare da capo.

La rovesciai sul divano. Lei reagì, ma molto debolmente, e sgranò gli occhi.

«Che... che cosa vuoi?» disse.

«Cosa voglio?».
«No... no... no...».
«Ma sì... sì...».
«No, no!» gridò. E aggiunse quest'offesa: «Tu sei pazzo!».
Mi fermai mio malgrado e osservai: «Non lo dici sul serio!».
«Invece sì... Sei così strano. E l'altra mattina, quando mi sei venuto dietro... non eri ubriaco?».
«No. Ma non ero neanche affamato. Avevo appena mangiato».
«Ah. Tanto peggio».
«Avresti preferito che fossi ubriaco?».
«Sì... Mi fai tanta paura! Dio mio, non puoi lasciarmi stare?».
Pensavo: no, non posso lasciarti stare, ci perdo troppo! Ora basta, poche storie! A un'ora così tarda, sul divano! Possibile che le donne riescano sempre a trovare mille scuse, e a certe ore! Come se non avessi saputo che era tutta timidezza, tutta modestia! Non ero mica alle prime armi. Basta adesso, finiamola!
Lei si difendeva con energia, con troppa energia: ora non era più timidezza. Con finta sbadataggine rovesciai la candela. Rimanemmo al buio. Resisteva disperatamente e incominciò persino a piagnucolare.
«No, non questo, non questo! Baciami il petto, se vuoi, caro, caro...».
Mi arrestai subito. Le sue parole erano così imploranti, piene di terrore, che mi tolsero ogni energia. Ne rimasi schiantato. Credeva di offrirmi un compenso dandomi il seno da baciare! Che ingenuità, bella e deliziosa! Mi sarei inginocchiato davanti a lei.
«Cara, cara...» esclamai confuso «non capisco... non capisco davvero... che gioco...».
Lei si alzò e riaccese la candela con le mani tremanti. Io stavo reclinato sul divano e non movevo un dito. Che avrebbe fatto ora? Mi sentivo a disagio. Guardò la pendola e sobbalzò. «Oh, la donna sta per rientrare!» esclamò. Erano le prime parole che dice-

va da quando era in piedi. Capii l'allusione e mi alzai. Ella prese il mantello, fece per indossarlo, ma cambiò idea, lo posò e si avvicinò al caminetto. Era pallida e sempre più inquieta. Perché non sembrasse che mi metteva alla porta, domandai: «Tuo padre non era ufficiale?». E mi preparai a uscire.

Sì, era stato ufficiale. Come lo sapevo?

Non lo sapevo. Era stata, così, un'idea.

Molto strano.

Oh, sì. Ma dissi che in certi luoghi mi venivano intuizioni strane. Anche queste facevano parte della mia pazzia...

Lei mi guardò stupita, ma non rispose. Capivo che la tormentavo con la mia presenza e volevo congedarmi in fretta. Mi avvicinai alla porta. Mi avrebbe baciato ancora? Non mi avrebbe neanche stretto la mano? E mi fermai in attesa.

«Volete andar via davvero?» domandò, sempre ferma davanti al caminetto.

Io non risposi. Ero umiliato e confuso e la guardavo senza dire una parola. Quante cose avevo distrutto! A quanto pareva, non le importava proprio niente che me ne andassi. L'avevo perduta per sempre e andavo cercando qualcosa da dirle nel momento del commiato, parole gravi e profonde che la colpissero e forse anche la ferissero un po'! Ma invece di mostrarmi freddo e sdegnoso come avrei voluto, mi sentivo ferito e umiliato, e riuscii a dire solo banalità e schiocchezze, senza trovare nulla che potesse commuoverla. Tutto quello che dicevo era retorico e meschino.

Perché non mi diceva schiettamente di andarmene per la mia strada? domandai. Perché aver soggezione? Invece di avvertirmi che la donna di servizio stava per ritornare avrebbe potuto dirmi semplicemente che era ora che mi levassi dai piedi. Poteva dire: Devo andare a prendere la mamma e non voglio essere accompagnata. Davvero non ci aveva pensato? Impossibile. Me ne ero pur accorto. Non era poi tanto difficile farmelo capire. Già il modo in cui aveva preso il mantello e lo aveva poi posato era bastato per farmi capire tutto. Talvolta avevo di queste intuizioni. E forse la pazzia non c'entrava neanche...

«Dio mio, perdonatemi quella parola! Mi è scappata!» esclamò. Ma ancora stava ferma e non veniva verso di me.

Io mi ostinai e continuai a parlare. Parlavo senza pause pur avendo la penosa impressione che l'annoiavo e che le mie parole non la colpivano affatto. Eppure non la smettevo: in fondo avevo un'anima piuttosto sensibile, osservai, e non per questo era necessario che fossi pazzo. Ci sono certe nature che si addolorano per delle sciocchezze e possono morire per una parola aspra. E lasciai intravedere che io avevo una natura così.

«Ecco, le cose stanno in questo modo: la mia povertà ha acuito in me certe facoltà al punto che talvolta mi provocano vere sofferenze. Sì, vi assicuro, vere sofferenze, purtroppo. Ma anche questa sensibilità ha i suoi vantaggi. In certe situazioni mi è di aiuto. Il povero intelligente è un osservatore assai più sottile che non il ricco intelligente. A ogni passo che fa, il povero si guarda intorno e tende l'orecchio diffidente a tutte le parole di coloro che incontra. Ogni suo passo presenta, per così dire, un compito, una fatica ai suoi pensieri e sentimenti. Egli ha l'udito acuto e sensibile, è esperto e ha l'anima segnata di cicatrici...».

E continuai a discorrere a lungo delle cicatrici che avevo nell'anima. E quanto più parlavo, tanto più lei s'inquietava. Finché invocò Dio disperatamente torcendosi le mani. Capivo benissimo che la martoriavo, avrei voluto desistere, ma non potevo. Infine mi parve di averle detto per sommi capi tutto quanto mi sembrava necessario. Il suo sguardo sgomento mi scosse ed esclamai: «Adesso vado, adesso vado! Non vedete che stringo già la maniglia? Addio! Ehi, dico, potreste anche rispondere quando vi dico addio due volte e sto per andarmene. Non vi chiedo neanche il permesso di incontrarvi ancora. Per voi sarebbe una pena. Ditemi soltanto: perché non mi avete lasciato in pace? Che cosa vi ho fatto? Non sono stato io a venirvi fra i piedi, vero? Perché vi voltate ora dall'altra parte come se non mi conosceste più? Ora mi avete straziato e tormentato, mi avete reso più povero di prima. Santo Dio, sono forse pazzo? No certo. E se ci voleste pensare, capireste anche voi che in questo momento non mi manca nulla. Su, venite a stringermi la mano! O volete permettere che venga io da voi? Sì? Non voglio farvi alcun male, vorrei soltanto inginocchiarmi un istante, inginocchiarmi in terra davanti a voi. Posso? Allora no, non lo farò. Vedo che avete paura. Non lo farò, no, non lo farò, capito? Santo cielo, perché tanto spavento? Io sto qui fermo, non mi muovo. Volevo soltanto inginocchiarmi un minuto sul tappeto, esattamente su quella macchia rossa davanti ai vostri piedi. Ma voi avete avuto paura. Ve l'ho letto negli occhi. Avete avuto paura. Perciò sono stato fermo. Quando ve ne ho chiesto il permesso, non ho fatto un passo. Non è vero, forse? Sono stato immobile come sto fermo adesso, mentre vi indico il posto dove avrei voluto inginocchiarmi, là su quella rosa rossa del tappeto. No, non la indico nemmeno col dito, nemmeno questo. Non lo faccio perché non voglio spaventarvi. Rivolgo là soltanto la testa e lo sguardo, così. E voi sapete benissimo a quale rosa alludo. Ma non volete permettermi di inginocchiarmi là. Avete paura di me e non avete neanche il coraggio di avvicinarvi. Non capisco come possa venirvi in mente di credermi pazzo. Vero che non lo credete più? Una volta, d'estate... molto tempo fa... allora sì ero pazzo. Avevo lavorato troppo e quando avevo troppe cose da pensare dimenticavo di andare a far colazione. Tutti i giorni. Non avrei dovuto dimenticarmene. Eppure me ne dimenticavo. Dio mi è testimone che è vero. Mi colpisca subito se dico una menzogna! Vedete dunque che mi fate torto? E non lo facevo per necessità. Io ho credito, molto credito nei ristoranti di Ingebret e Gravesen. Spesso avevo anche molto denaro in tasca, eppure non comperavo da mangiare. Me ne dimenticavo. Mi ascoltate? Non dite nulla. Non rispondete. Non vi scostate dal caminetto. Aspettate soltanto che me ne vada...».

Ella si mosse rapidamente e venne a porgermi la mano. La guardai... con molta diffidenza. Era sincera? O lo faceva soltanto per sbarazzarsi di me? Mi buttò le braccia al collo: aveva gli occhi pieni di lagrime. Io la guardavo. Mi offrì le labbra: non riuscivo a crederle. Certamente faceva un sacrificio pur di farla finita.

Pronunciò qualche parola. Mi parve che dicesse: «Ti voglio bene lo stesso!». Lo disse molto piano e confusamente. Forse non avevo neanche udito bene. Forse non aveva neanche detto proprio quelle parole. Ma mi strinse con tutt'e due le braccia così forte... per un istante, si sollevò persino sulla punta dei piedi per arrivare a me e così rimase.

Temetti che quella tenerezza le costasse uno sforzo. E dissi soltanto: «Come sei bella, adesso!».

Non dissi altro. Indietreggiai, spalancai la porta e uscii camminando all'indietro. E lei restò dov'era.

# CAPITOLO IV

Era venuto l'inverno, un inverno inclemente e piovoso, quasi senza neve, un'eterna notte nebbiosa e tetra senza una sola ventata fresca in tutta la lunga settimana. Nelle strade i fanali a gas ardevano quasi tutta la giornata e ciò nonostante la gente si scontrava nella nebbia. Ogni rumore, lo squillo delle campane delle chiese, i sonagli delle vetture, le voci degli uomini, lo scalpitio dei cavalli, tutto aveva un suono sordo e sepolto nell'aria spessa. Passavano le settimane e il tempo continuava sempre uguale.

Io abitavo ancora nella solita locanda a Vaterland.

Ero sempre più legato a quel ristorante, a quell'alloggio per viaggiatori, dove mi tenevano nonostante la mia miseria. Le mie risorse erano consumate da un pezzo e tuttavia entravo e uscivo quasi ne avessi il diritto, quasi fossi in casa mia. Finora la padrona non mi aveva fatto alcuna osservazione. Eppure mi tormentava il pensiero di non poterla pagare. Così passarono tre settimane.

Già da qualche giorno avevo ripreso a scrivere, ma non riuscivo a mettere insieme nulla di soddisfacente. Non avevo più fortuna, per quanto lavorassi come uno schiavo da mattina a sera. Potevo tentare qualunque cosa, ma era inutile: la fortuna non veniva.

Avevo una camera al secondo piano, la camera migliore tra quelle destinate ai forestieri. Là facevo i miei tentativi. Mi avevano lasciato indisturbato dopo quella prima sera in cui mi ero presentato col denaro e avevo potuto pagare il conto. In tutto quel tempo avevo sperato di portare a termine un articolo su questo o su quell'argomento per poter pagare la camera e gli altri debiti. Perciò lavoravo con tanto accanimento. Avevo incominciato un racconto d'appendice dal quale speravo molto, l'allegoria di un incendio in una libreria, un pensiero profondo che volevo elaborare con la massima diligenza per sdebitarmi col Commendatore: il quale doveva accorgersi di aver a che fare con un vero ingegno. Non avevo il minimo dubbio che se ne sarebbe accorto. Si trattava solo di aspettare che mi venisse l'ispirazione. Perché non doveva venirmi l'ispirazione alla prima occasione? Ora stavo bene. La padrona mi dava ogni giorno un paio di panini col burro, la mattina e la sera. Il mio nervosismo era quasi scomparso. Quando scrivevo non occorreva più che mi fasciassi le mani contro il freddo, e dalle finestre del secondo piano potevo guardare nella strada senza che mi venisse il capogiro. La mia situazione era migliorata di molto in tutti i sensi e mi stupivo addirittura di non essere stato ancora capace di portare a termine l'allegoria. Non capivo proprio da che cosa dipendesse.

Un giorno finalmente dovetti accorgermi fino a qual punto fossi indebolito e come il cervello lavorasse pigramente e senza rendimento. La mia padrona era salita da me con un conto. Mi pregò di rifare le somme perché, diceva, in qualche punto ci doveva essere un errore; le somme non concordavano con i suoi libri e lei non era riuscita a scoprire lo sbaglio.

Sedetti e incominciai a sommare. La padrona era seduta di fronte a me e mi guardava. Sommai le venti voci del conto prima dall'alto al basso e trovai che il totale era giusto, poi dal basso all'alto e arrivai al medesimo risultato. Guardai la donna davanti a me che aspettava il mio responso e in quella notai che era incinta: questo particolare non mi sfuggì, eppure non l'avevo osservata attentamente.

«La somma è giusta» dissi.

«No. Fate il piacere di controllare numero per numero» rispose. «Non può esser tanto. Ne sono sicura».

Mi misi dunque a rivedere voce per voce: due pani a 25 cadauno, un vetro da lampada 18, sapone 20, burro 32... non ci voleva davvero una testa molto sveglia per ripassare quelle colonne di numeri, quel piccolo conto da bottegai tutt'altro che misterioso, e io tentai ostinatamente di scoprire l'errore, ma non lo trovai. Dopo essermi accapigliato qualche minuto coi numeri mi accorsi purtroppo che tutto mi si confondeva nel cervello. Non sapevo più distinguere il dare dall'avere e rimescolavo ogni cosa, finché mi arenai del tutto e precisamente a questa voce: libbre 3 e 5/16 di formaggio a 16. Il cervello mi s'impuntò e io stetti a guardare stupidamente quel formaggio senza poter avanzare di un passo.

«Accidenti, com'è scritto male!» esclamai disperato. «Qui c'è scritto: cinque sedicesimi di formaggio, proprio così. Non s'è mai visto! Guardate anche voi!».

«Vedo» rispose la padrona. «Così scrivono sempre i salumieri. È formaggio nostrano. Va benissimo. Cinque sedicesimi sono mezzo etto...».

«Sì, sì, capisco» la interruppi. In realtà non ci capivo un'acca e mi provai di nuovo a risolvere il quesito. Qualche mese prima l'avrei risolto in un minuto. Tutto sudato stavo studiando quelle cifre misteriose, stringevo le palpebre per concentrare il pensiero e far vedere che cercavo la soluzione di quel pasticcio. Ma dovetti rinunciare. Quel mezzo etto di formaggio fu la mia rovina. Avevo la sensazione che nel cervello qualcosa mi si fosse spezzato.

Ma per dare l'impressione che stavo ancora calcolando movevo le labbra, pronunciavo ogni tanto un numero e tutto intontito facevo scorrere gli occhi sul conto come se mi stessi avvicinando al totale. La signora aspettava. Infine dissi: «Ecco... ho ripassato tutto ancora una volta da cima a fondo, ma lo sbaglio non lo trovo proprio».

«No?» domandò la padrona. «Davvero?». Ma capii che non mi credeva. E nel tono che assunse mi parve di sentire una sfumatura di disprezzo. In un tono così indifferente non mi aveva mai parlato. Osservò che probabilmente non avevo molta pratica di sedicesimi. Soggiunse che si sarebbe rivolta a qualcuno che se ne intendesse perché le controllasse il conto. E non lo disse in tono offensivo, per ferirmi, no, era soltanto seria e pensierosa. E quando fu sulla soglia per uscire disse ancora senza guardarmi: «Scusate se vi ho rubato un po' di tempo». E se ne andò.

Poco dopo la porta si aprì e vidi rientrare la padrona. Poteva essere arrivata solo in fondo al corridoio. «Già, quasi mi dimenticavo» disse. «Non abbiatevene a male. Ma ora mi pare di essere in credito. Non siete venuto esattamente tre settimane fa? Credo che sia esatto. Sapete, non è facile sbarcare il lunario con una famiglia così numerosa. Purtroppo non posso tenere clienti a credito...».

La interruppi: «Ma voi sapete che sto scrivendo un articolo. Appena arrivo in fondo avrete quello che vi è dovuto. Potete stare tranquilla».

«Già, ma in fondo a quell'articolo voi non arrivate mai...».

«Credete? Può darsi che l'ispirazione mi venga già domani. Forse magari questa notte. Non è affatto impossibile che mi venga durante questa notte. E allora l'articolo è finito in pochi minuti. Tenete presente che il mio lavoro non è un lavoro come gli altri. Io non posso mettermi a sedere e fornire ogni giorno una data quantità di lavoro. Devo aspettare il momento giusto. E nessuno al mondo può prevedere il momento in cui mi verrà l'ispirazione. Bisogna aspettarla».

La padrona uscì. Ma la sua fiducia in me era certamente alquanto scossa.

Appena fui solo mi cacciai le mani nei capelli. Oh, non c'era più salvezza, nessuna salvezza, nonostante tutto! Il mio cervello era stato del tutto svalutato. Ma ero davvero un cretino se non ero capace di calcolare il valore di un pezzo di formaggio? E, se mi ponevo domande simili, era possibile che avessi perduto il cervello? Oltre a ciò, mentre mi tormentavo con quel conto, non avevo forse fatto chiaramente l'osservazione che la padrona era incinta? Come potevo saperlo? Nessuno me l'aveva detto né mi era venuto in mente per associazione di idee, ma lo avevo capito immediatamente e per di più in un momento disperato mentre stavo calcolando i sedicesimi. Come spiegare tutto ciò?

Mi affacciai alla finestra che dava sulla Vognmandsgate. Giù nella strada alcuni ragazzi vestiti poveramente giocavano tirandosi una bottiglia vuota e sollevando un putiferio di grida. Vicino a loro passò lentamente un carro di masserizie: certamente una famiglia sfrattata che doveva cambiare casa senza aspettare l'epoca dei traslochi. Così pensai lì per lì. Sul carro c'erano mobili e paglericci, lettiere e canterani tarlati, seggiole a tre gambe verniciate di rosso, ferraglie, stuoie e pentole di zinco. Una bimba con l'aria da monella, brutta e col naso rosso, era seduta in cima al carico e si teneva salda con le povere manine gelate per non cadere. Stava seduta su un mucchio di orribili materassini bagnati e guardava i ragazzi che giocavano con la bottiglia vuota.

Vidi tutto ciò dalla finestra e non feci alcuna fatica a comprendere quel che succedeva. Mentre stavo osservando udii anche la domestica della padrona che cantava nella cucina accanto alla mia camera. Conoscevo quella melodia e stetti attento per sentire se stonava. E fra me dicevo che un idiota non sarebbe stato capace di farlo. Grazie a Dio, avevo dunque ancora il mio cervello come tutti gli altri.

A un tratto vidi che due di quei ragazzi nella strada si mossero imprecando l'uno contro l'altro come due veri monelli. Ne conoscevo uno, era il figlio della padrona. Aprii la finestra per ascoltare meglio ed ecco formarsi proprio sotto la finestra un piccolo assembramento di bambini che guardavano in alto con curiosità. Che cosa si aspettavano? Che buttassi giù qualche cosa? non so, fiori appassiti, ossi, mozziconi di sigaro, qualunque cosa con cui giocare? Mi guardavano col viso blu dal freddo e con certi occhioni grandi grandi. Intanto i due avversari continuavano a insultarsi. Parole grosse come mostri uscivano tonando da quelle bocche infantili, insulti da sgualdrine, bestemmie da marinai che avevano forse raccolto laggiù al porto. Entrambi erano troppo infervorati per accorgersi che la mia padrona arrivava di corsa e domandava che cosa stesse accadendo.

«È stato lui» dichiarò suo figlio «a saltarmi alla gola. Non potevo più respirare». E volgendosi verso il piccolo delinquente che lo guardava con viso cattivo si mise a gridare infuriato: «Va' all'inferno dove è più fondo, carogna fetente che non sei altro! Un assassino pidocchioso come te, saltarmi alla gola! Ringrazia il cielo se non...».

E la madre, quella donna incinta che con la sua mole dominava tutto il vicolo, afferrò il ragazzo per un braccio e fece per trascinarlo via apostrofandolo, un ragazzino di dieci anni, in questo modo: «Tieni il becco chiuso! Anche bestemmie? Parli come se fossi stato allevato in un bordello. Fila a casa!».

«No, non ci vengo!».

«Come? Non vieni?».

«No, non ci vengo».

Dalla mia finestra vedevo che la madre si agitava. Quella scena disgustosa mi fece perdere le staffe. Non ne potevo più. Perciò gridai al ragazzino che salisse un momentino da me. Lo chiamai due volte, soltanto per separarli e metter fine a quella scenata. La seconda volta chiamai molto forte. La madre guardò in su sbalordita, ma si ricompose subito e lanciandomi un'occhiata impudente batté in ritirata non senza rimproverare suo figlio ad alta voce: «Dovresti vergognarti! Anche gli estranei vedono quanto sei cattivo!».

Nulla mi sfuggì di quella scena, neanche il minimo particolare. La mia facoltà di osservazione era indebolita forse?... Ma io respiravo, per così dire, ogni cosa, anche la più piccola, con la massima sensibilità. Su ogni frase della scena che si svolgeva laggiù facevo via via le mie riflessioni. Dunque il mio cervello doveva essere a posto. Del resto, perché non avrebbe dovuto esserlo? Sta' a vedere! dicevo tra me, ora ti sei occupato abbastanza della tua intelligenza e abbastanza sei stato in pensiero. È ora di finirla con le pazzie. È forse un indizio di cervello malato afferrare, e afferrare esattamente, tutte le cose come fai tu? Mi fai quasi ridere, credi a me. Vi è un certo umorismo in tutto ciò, almeno secondo me. Insomma, a chiunque può capitare di arenarsi e proprio nelle cose più semplici. Questo non vuol dir nulla, non è che un caso. Per poco, ripeto, non mi hai fatto ridere. E in quanto a quel conto di salumiere, a quello sporco mezzo etto di formaggio da pezzenti (si può ben chiamarlo così), un formaggio col pepe e i chiodi di garofano... per quanto riguarda quel formaggio ridicolo, anche al migliore degli uomini sarebbe potuto capitare di fare la figura dell'imbecille. Basta il puzzo di quel formaggio per far rivoltare lo stomaco... Così mi facevo beffe di tutto il formaggio nostrano del mondo. «Presentatemi una cosa mangiabile!» esclamai. «Presentatemi, se credete, cinque sedicesimi di ottimo burro da tavola! Sarebbe un'altra cosa!».

E ridevo di un riso malato alle mie trovate spiritose che mi sembravano veramente divertenti. Oh, la mia mente era sana!

Il mio buon umore andava aumentando, camminavo su e giù per la stanza e parlavo a lungo tra me e me. Ridevo forte e mi sentivo immensamente bene.

Pareva proprio che avessi bisogno soltanto di quei

pochi secondi di allegria, di quei momenti di vera, luminosa e spensierata esaltazione per rimettere la testa in grado di lavorare. Sedetti e ripresi la mia allegoria. E tutto andava bene, come non era andato da molto tempo. Non rapidamente, ma, a quanto mi pareva, quel poco che mettevo insieme era eccellente. Lavorai un'ora intera senza provare alcuna stanchezza.

Così arrivai a un punto molto importante dell'allegoria sull'incendio nella libreria. E mi parve così importante che rispetto a quella pagina tutto quanto avevo già scritto impallidiva. Stavo concretando il pensiero profondo che quelli che ardevano non erano libri, ma cervelli, cervelli umani e di quei cervelli in fiamme volevo fare una vera notte di San Bartolomeo. Ma, in quella, la porta si spalancò e la padrona entrò come una furia. E venne proprio nel mezzo della camera, senza nemmeno fermarsi sulla soglia.

Io mandai un grido rauco. Mi pareva quasi di aver ricevuto una botta.

«Come dite?» fece lei. «Mi pareva che diceste qualche cosa... È arrivato un viaggiatore e abbiamo bisogno di questa camera. Potrete passare la notte giù da noi. Anche laggiù avrete il vostro letto». E prima di aspettare la risposta si mise senz'altro a raccattare i miei manoscritti e ad ammucchiarli in disordine.

Il mio umore sereno svanì di colpo e mi alzai disperato e furente. Lasciai che la padrona sgomberasse la camera e non dissi nemmeno una parola. Quella mi mise in mano tutti i fogli e a me non rimase che lasciare la camera.

Anche quel momento prezioso mi veniva sciupato! Per le scale incontrai il nuovo arrivato, un giovanotto con grandi ancore azzurre tatuate sulle mani. Lo seguiva un facchino che recava sulle spalle un baule da marinaio. Il forestiero era certamente un uomo di mare, dunque un cliente occasionale venuto a passare la notte. Dunque non avrebbe occupato la stanza per molto tempo. Forse già l'indomani, partito lui, potevo avere la fortuna di qualche momento buono:

mi bastava l'ispirazione di cinque minuti e avrei compiuto il mio lavoro sull'incendio nella libreria. Dunque bisognava rassegnarsi alla sorte...

Fino allora non ero mai entrato nell'appartamento della famiglia: era un unico stanzone dove stavano tutti insieme, giorno e notte, il marito, la moglie, il padre della moglie e quattro bambini. La domestica stava nella cucina dove passava anche la notte. Mi accostai alla porta con riluttanza e bussai. Nessuno rispose, ma sentivo che dentro stavano parlando.

Quando entrai il padrone non disse una parola, non rispose nemmeno al mio saluto. Mi guardò soltanto con indifferenza come fossi un'ombra. E poi stava giocando a carte con un tale che avevo già visto al porto, un facchino che aveva il nomignolo di 'Lastra'. Un lattante stava nel letto e barbugliava tra sé mentre il vecchio, il padre della padrona, era rannicchiato su una panca, la testa appoggiata alle mani come se gli dolesse il petto o lo stomaco. Aveva i capelli quasi bianchi e in quella posizione raggomitolata sembrava una lucertola col capo sospeso, tesa all'ascolto.

«Purtroppo devo chiedere ospitalità per questa notte» dissi al padrone.

«Lo ha detto mia moglie?» domandò.

«Sì. La mia camera è assegnata a un nuovo cliente». Quello non replicò e continuò a giocare.

E se ne stava lì, giorno dopo giorno, e giocava con chiunque venisse, giocava per niente, soltanto per ammazzare il tempo e avere qualche cosa da fare. Non faceva niente altro, si moveva quel tanto che gli consentiva la pigrizia, mentre sua moglie correva su e giù per le scale, sorvegliava dappertutto ed era sempre in faccende per attirare i clienti. Si era anche messa d'accordo coi facchini e portabagagli ai quali dava la percentuale per ogni cliente che le portavano e molte volte dava alloggio anche ai facchini stessi. Ora il nuovo ospite glielo aveva portato 'Lastra'. Entrarono due ragazzine, col viso da monelle, smunto e lentigginoso. Erano vestite molto miseramente. Poco dopo entrò la padrona. Le domandai dove mi avrebbe sistemato per la notte e quella mi rispose in tono secco che potevo dormire nello stanzone insieme con gli altri o là fuori sul sofà dell'anticamera, a mia scelta. Mentre mi dava questa risposta girava per la stanza, mettendo ordine qua e là senza guardarmi in viso.

Udendo quella risposta rimasi di stucco e cercai di farmi più piccolo di quello che ero, mostrandomi anzi contento di cedere la camera per una notte. Feci la faccia cortese per non irritare quella donna e non farmi magari cacciare di casa. Dissi: «Una soluzione si troverà» e non aggiunsi altro.

Quella girava ancora per la stanza.

«Del resto, vi devo ripetere che non posso permettermi il lusso di dare vitto e alloggio a credito. Ve l'ho già detto una volta».

«Certo, però... si tratterà soltanto di questi pochi giorni finché termino l'articolo» risposi. «Poi vi darò volentieri cinque corone in più del conto, anzi molto volentieri».

Ma evidentemente non aveva più fiducia nel mio articolo. Si vedeva. E io non potevo concedermi di essere orgoglioso e di andarmene per quella piccola offesa. Sapevo che cosa mi aspettava se me ne andavo.

Passarono un paio di giorni.

Abitavo insieme con la famiglia. Nell'anticamera faceva troppo freddo. Non c'era stufa. Di notte dormivo nello stanzone, sul pavimento. Il marinaio occupava ancora la mia camera e pareva non pensasse affatto a sloggiare. A mezzogiorno anzi la padrona venne a dire che le aveva pagato un mese anticipato. Prima di partire voleva dare l'esame di pilota: per questo si tratteneva in città. Io stetti a sentire e compresi che la mia stanza era perduta per sempre. Passai nell'anticamera. Se dovevo scrivere ancora qualcosa, non potevo farlo che là. Là ero tranquillo. La mia allegoria non mi interessava più già da tempo. Mi era venuta una nuova idea, un progetto eccellente: volevo scrivere un dramma in un atto, «Il segno della croce», dramma medioevale. Avevo già in mente tutti i particolari della protagonista, una stupenda meretrice fanatica, la quale aveva peccato nel tempio, non per debolezza o per lussuria, ma per odio contro il Cielo, proprio ai piedi dell'altare, con la tovaglia sotto la testa, per solenne disprezzo del Cielo.

Via via che le ore passavano, quella figura mi affascinava sempre più, finché me la vidi viva e presente davanti agli occhi come l'avevo immaginata. Il suo corpo doveva essere vizioso e ripugnante, alto, molto magro e un po' olivastro e, quando camminava, le sue gambe snelle dovevano trasparire attraverso gli indumenti. Doveva avere anche le orecchie grandi, a sventola. Insomma non doveva essere affatto bella, ma appena sopportabile alla vista. Quello che più mi importava era la sua meravigliosa impudicizia, la disperata mostruosità del peccato che aveva deliberatamente commesso. Mi stregava, mi ammaliava: il mio cervello era gonfio di quel mostro così strano. E scrissi due buone ore senza sosta per stendere il dramma.

Quando ebbi messo insieme una decina, forse anche una dozzina di pagine, con notevoli sforzi e con lunghi intervalli durante i quali stracciavo le pagine inutili, mi trovai stanco, irrigidito dal freddo e dallo sfinimento e uscii nella strada. Durante l'ultima mezz'ora ero stato anche disturbato dagli strilli delle bambine nello stanzone. In ogni caso dunque non avrei potuto continuare. Feci pertanto una lunga passeggiata e restai in giro fino a sera rimuginando sempre la continuazione del dramma. Prima che ritornassi a casa quella sera mi capitò quanto segue.

Ero davanti a un negozio di scarpe in fondo alla via Karl Johan, vicino al piazzale della stazione. Dio solo sa perché mi fossi fermato proprio davanti a quelle calzature. Guardavo le vetrine, ma non pensavo neanche lontanamente che avevo bisogno di un paio di scarpe. I miei pensieri erano lontano, in tutt'altre regioni del mondo. Dietro di me passavano sciami di gente che chiacchierava, ma io non sentivo le loro parole.

Ed ecco una voce forte che mi saluta: «Buona sera». Era la Checca.

«Buona sera» risposi pensando ad altro. Lo guardai per qualche istante prima di riconoscerlo.

«Come va?» domandò.

«Grazie, non c'è male... come al solito».

«Dite un po'» domandò «siete sempre da Christie?».

«Da Christie?».

«Se non erro mi avevate detto una volta che facevate il contabile da Christie».

«Già, già, mi ricordo. C'ero infatti. Ma era impossibile lavorare con quell'uomo, e ci siamo separati quasi subito».

«Come mai?».

«Oh, un giorno scrissi una cosa inesatta e poi...».

«Se ne è accorto, eh?».

Accorto? Stava praticamente dicendomi in faccia che avevo tentato di rubare! E la sua domanda era persino ansiosa e fremente di curiosità. Lo guardai profondamente offeso e non risposi.

«Oh Dio, si sa che sono cose che possono capitare a chiunque» soggiunse per confortarmi. Credeva ancora che fossi un imbroglione!

«Dove vorreste arrivare dicendo che queste cose possono capitare a chiunque?» domandai. «Commettere un falso? Sentite un po', brav'uomo, credete davvero che io sia capace di una simile infamia? Io?».

«Ma, caro mio, mi pareva che aveste detto così chiaramente...».

Io alzai la testa, gli volsi le spalle e mi misi a fissare la strada. Il mio sguardo cadde su di un abito rosso che si avvicinava, una donna a fianco di un uomo. Se non avessi avuto quella conversazione con la Checca, se il suo volgare sospetto non mi avesse offeso e in quel momento non avessi fatto quel gesto sprezzante, voltandomi indignato, quell'abito rosso mi sarebbe forse passato accanto senza che lo notassi. Ma in fondo, che m'importava? Non mi riguardava, neanche fosse stato il vestito della più celebre dama di corte!

La Checca parlava e cercava di rimediare. Io non udivo una parola ed ero tutto intento a guardare il vestito rosso che veniva verso di noi. Preso da una violenta agitazione, provai come una fitta al cuore e, immerso nei miei pensieri, mormorai senza muovere le labbra: «Ylajali!».

A quel punto anche la Checca si volse, vide quei due, la donna e l'uomo, e li salutò con gli occhi. Io non salutai o forse sì, salutai. Il vestito rosso risalì per la via Karl Johan e scomparve.

«Chi c'era con lei?» domandò la Checca.

«Il Duca. Non avete visto? Quello che chiamano il Duca. Conoscete la signorina?».

«Sì... cioè, per modo di dire... voi non la conoscete?».

«No» risposi.

«Mi pareva che vi foste tolto il cappello con molta cura».

«Io ho salutato?».

«Forse no?» fece la Checca. «Mi pareva strano. Eppure la signorina non ha guardato che voi!».

«Voi come la conoscete?» chiesi.

Egli non la conosceva affatto, a dire il vero. Una sera d'autunno, molto tardi, erano usciti in tre un po' brilli dal Grand Café, l'avevano incontrata davanti alla libreria di Cammermeyer e le avevano rivolto la parola. Sulle prime ella li aveva respinti. Ma uno dei tre buontemponi, che non aveva paura neanche del diavolo, le aveva chiesto francamente il permesso di accompagnarla a casa. Giurò che, come si dice, non le avrebbe torto un capello e l'avrebbe accompagnata soltanto fino alla porta di casa per assicurarsi che ci arrivasse sana e salva, ché altrimenti non avrebbe trovato pace tutta la notte. E parlava, parlava, saltando di palo in frasca, presentandosi come Waldemar Atterdag e spacciandosi per fotografo. Lei aveva finito col ridere di quel mattacchione che non si era lasciato scoraggiare dalla sua freddezza e alla fine si fece accompagnare a casa.

«Va bene... e poi?...» domandai col fiato sospeso.

«Come e poi? Andiamo! Non si fanno certe domande!».

Tacemmo entrambi un istante, dopo di che egli soggiunse sopra pensiero: «Corpo di un cane, quello era proprio il Duca? Finalmente so che faccia ha! Certo, se era con quell'uomo, non metto più la mano sul fuoco per lei».

Io tacevo ancora. Certamente il Duca aveva fatto centro. Per me, facesse pure. Me ne infischiavo. Auguravo buona fortuna a lei e a tutte le sue bellezze. E cercai di consolarmi pensando male di lei, pensando il peggio, godendo di trascinarla nel fango. Mi rammaricavo solo di essermi tolto il cappello davanti a loro. Perché avevo salutato gente simile? Di lei non m'importava niente, ma proprio niente. Non era affatto bella, aveva perduto tutto il suo fascino. Uh, com'era sfiorita! Poteva darsi che avesse guardato soltanto me. Non c'era da stupirsi. Forse era tormentata dal rimorso. Ma non per questo dovevo gettarmi ai suoi piedi e salutarla come uno scemo, tanto più che in quegli ultimi tempi era avvizzita a quel modo. Se la tenesse pure, il Duca, e me la levasse d'attorno! Forse sarebbe venuto un giorno in cui le sarei passato accanto a testa alta senza neanche degnarla di uno sguardo. Certamente me lo potevo permettere, anche se mi avesse fissato e avesse portato magari un abito rosso sangue. Tutto era possibile. E che trionfo allora! Se non m'ingannavo, ero anche capace di terminare il dramma quella notte stessa e costringere quella ragazza a mettersi in ginocchio in meno di una settimana. Con tutto il suo fascino, eh eh, con tutto il suo fascino...

«Addio!» dissi brevemente.

Ma la Checca mi trattenne e s'informò: «E ora che cosa fate tutto il giorno?».

«Che cosa faccio? Scrivo, naturalmente. Che altro

dovrei fare? Devo pur vivere. Adesso sto elaborando un grande dramma. "Il segno della croce": dramma medioevale».

«Perdinci!» fece l'altro sinceramente. «Certo, se ci riuscite...».

«Quanto a questo non datevi pensiero» dissi. «Fra una settimana o anche meno sentirete parlare di me tutti quanti».

E mi allontanai.

Arrivato a casa mi rivolsi subito alla padrona pregandola di darmi un lume. Ci tenevo molto. Quella notte non intendevo neanche mettermi a letto. Il dramma mi tumultuava nella testa ed ero quasi sicuro di poterne scrivere una buona parte prima che sorgesse l'alba. Esposi il mio desiderio con molta umiltà poiché entrando nella stanza avevo visto la padrona fare una smorfia di dispetto. Le dissi che avevo quasi terminato un dramma importante, che mi mancavano solo poche scene, e caricai le tinte affermando che in men che non si dica il dramma poteva essere rappresentato in qualche teatro, e se ora mi avesse fatto quel grande piacere...

Ma la padrona non aveva un lume. Rifletté, ma non ricordava di possedere un lume. Se volevo aspettare fino a mezzanotte potevo prendere quello di cucina. Perché non andavo intanto a comperare una candela?

Io tacqui. Non avevo i dieci centesimi che ci volevano per una candela. Ed ella lo sapeva benissimo. Un altro contrattempo! E dire che la domestica era là con noi nello stanzone, non in cucina. Dunque il lume lassù nella cucina non era neanche acceso. Io ci pensai, ma non dissi nulla.

A un tratto la domestica si rivolse a me: «Mi pare di avervi veduto venire dal Castello. Eravate invitato a colazione lassù?». E rise per quella trovata spiritosa.

Sedetti, presi il manoscritto e tentai di lavorare là nello stanzone. Avevo posato le carte sulle ginocchia e tenevo gli occhi fissi sul pavimento per non distrarmi. Ma era inutile, era tutto inutile, non riuscivo a fare un passo avanti. Le due figlie della padrona entrarono e si misero a molestare una gatta, una strana gatta malata quasi priva di pelo. Quando le piccole le soffiavano negli occhi, ne usciva un umore che le scorreva sul naso. Il padrone e un paio di altri erano seduti intorno alla tavola e giocavano a carte. La moglie assidua come sempre stava cucendo non so che cosa. Capiva bene che non potevo scrivere in mezzo a quella confusione, ma di me non si curava affatto. Aveva persino sorriso quando la domestica mi aveva chiesto dove avessi fatto colazione. Tutta la casa mi era diventata ostile. Ed ecco che ora anche la domestica, una sudicia sgualdrinella con gli occhi castani, la frangia e il seno piatto, si faceva beffe di me la sera quando ricevevo il mio pane e burro. Ogni volta mi domandava dove prendevo il pasto del mezzogiorno, dato che non mi aveva mai visto dietro i vetri del Grand Café. Era chiaro: conosceva le condizioni miserrime nelle quali vivevo e si divertiva a farmelo sapere.

Tutto ciò invase il mio cervello e non fui più capace di trovare neanche una battuta per il mio dramma. Facevo un tentativo dopo l'altro, ma sempre invano. Nella testa avevo uno strano ronzio, sicché dovetti arrendermi. Infilai in tasca il manoscritto e alzai gli occhi. La domestica era seduta davanti a me e guardandola le osservai la vita stretta e le spalle cadenti che non erano neanche sviluppate. Che cosa ci guadagnava a pigliarmi in giro? E se fossi ritornato davvero dal Castello? Gliene veniva forse un danno? Negli ultimi tempi mi aveva deriso sfacciatamente quando mi capitava di scivolare sui gradini o di impigliarmi in un chiodo lacerandomi la giacca. Il giorno prima mi aveva persino rubato il fascicolo col primo abbozzo del dramma che avevo buttato via nell'anticamera ed era andata a recitare alcuni frammenti che avevo scartati ridendone alla presenza di tutti per il gusto di schernirmi. Non le avevo detto mai nulla di male e non ricordavo di averle mai chiesto un piacere. Anzi, ogni sera mi facevo il letto da me sul pavimento dello stanzone per non darle alcun fastidio. Mi prendeva in giro anche perché mi cadevano i capelli. Tutte le mattine c'erano capelli caduti nell'acqua della catinella e anche questo era per lei argomento di riso. In quel tempo anche le mie scarpe si erano sciupate, specialmente quella su cui era passato il carro del panettiere, e anche di queste scherzava. «Dio vi benedica, voi e le vostre scarpe!» diceva. «Guardatele: sono come barche!». Non aveva torto: le mie scarpe erano davvero scalcagnate. Ma che ci potevo fare? Non potevo certo comperarne delle altre.

Mentre questi pensieri mi turbinavano per il capo e mi meravigliavo dell'aperta ostilità di quella ragazza, le due bimbe avevano incominciato a far dispetti al vecchio là in fondo, nel letto. Gli saltellavano intorno: ciascuna aveva in mano un filo di paglia e glielo infilavano nelle orecchie. Stetti a guardare, ma non me ne immischiai. Il vecchio non moveva un dito per difendersi. Lanciava loro soltanto occhiate furibonde e scrollava la testa ogni volta che una pagliuzza gli entrava in un orecchio.

Quella scena mi turbava sempre più. Non potevo distoglierne lo sguardo. Il padre alzava gli occhi dalle carte e rideva. Richiamò anche l'attenzione dei compagni di gioco sulle bambine. Ma perché non si moveva, il vecchio? Perché non le mandava via? Feci un passo e mi avvicinai al letto.

«Lasciatele fare, lasciatele fare!» esclamò il padrone. «È paralizzato».

E per il timore di essere cacciato, soltanto per paura di dispiacere a quella gente se avessi fatto smettere le bambine, mi ritirai in silenzio al mio posto e stetti quieto. Perché dovevo rischiare l'alloggio e il pane col burro ficcando il naso in quelle beghe di famiglia? Non era il caso di fare sciocchezze per un vecchio mezzo morto. E mi sentii il cuore duro come una pietra focaia.

Quelle due pesti non cessavano di tormentare il povero vecchio. Si stizzivano perché non stava fermo con la testa e gli pungevano anche gli occhi e le narici. Egli le guardava con occhi carichi di odio e stava zitto; non poteva muovere le braccia. A un certo punto si sollevò un pochino e sputò in faccia a una delle bambine, poi tentò di sollevarsi ancora e sputò contro l'altra, ma senza colpirla. Io stavo a guardare e vidi che il padrone buttava le carte sulla tavola e balzava verso il letto. Tutto rosso in viso gridò: «Come? sputi in faccia alle bambine, vecchio porco?».

«Dio santo, non lo lasciavano in pace un minuto!» esclamai fuori di me. Ma poiché temevo che mi buttassero fuori, lo dissi senza particolare energia, anche se ero tutto fremente di rabbia.

«Ma sentitelo! Che diavolo ve ne importa? Frenate la lingua! Ve lo consiglio, ve ne troverete contento!».

Anche la padrona alzò la voce e tutta la casa fu un inferno di imprecazioni.

«Ma per Dio, siete tutti impazziti?» gridò. «Se volete stare qua dentro, cercate di starvene tranquilli! Che cosa credete? Non basta dare vitto e alloggio a dei simili vagabondi? Che si debba tollerare anche questo fracasso d'inferno tra le proprie pareti, come fosse il giorno del Giudizio? Non ne voglio più sapere! Ormai sono decisa! Silenzio! State zitti, voi mocciosi, e pulitevi il naso, se non volete che lo faccia io! Non ho visto gente simile da che sono al mondo! Arrivano qua dalla strada, non hanno neanche il becco di un centesimo per un po' di polvere da spidocchiarsi e di notte attaccano briga con la gente di casa. Non voglio più saperne, avete capito? E tutti quelli che non c'entrano qua dentro possono andare per la loro strada. Io a casa mia voglio stare in pace, voglio stare. Ecco, adesso lo sapete!».

Io stavo zitto e senza aprir bocca mi rimisi a sedere presso la porta ascoltando quel baccano. Gridavano tutti, persino le bambine e la domestica. Questa voleva spiegare come era sorta la lite. Se stavo quieto, forse il temporale sarebbe passato anche questa volta. Certo si sarebbe giunti agli estremi, se avessi pronunciato una sola parola. E che parola avrei potuto dire? Fuori non era forse inverno e quasi mezzanotte? Era quello il momento di picchiare i pugni sulla tavola e di fare il gradasso? Niente sciocchezze, per carità! Rimasi dunque tranquillo e non uscii di casa benché mi avessero quasi cacciato. Fissai gli occhi sulla parete dove era appesa un'oleografia di Cristo e tacqui ostinatamente a tutti gli attacchi della padrona.

«Se alludete a me, signora, se volete sbarazzarvi di me, io non ho niente in contrario» disse uno dei giocatori e si alzò. Anche l'altro fu subito in piedi.

«No, non intendevo voi. E neanche voi» rispose la padrona a tutti e due. «Quando sarà il momento, lo dirò io di chi si tratta. Al momento giusto. Se lo ricordi quel tale. E presto si vedrà a chi alludevo...».

Parlava con affanno e mi lanciava quelle stoccate a brevi intervalli, con opprimente monotonia, per farmi capire bene che si trattava di me. Non dovevo reagire! Non mi aveva detto di andarmene, non l'aveva detto chiaramente, espressamente. Niente superbia da parte mia, niente orgoglio fuori luogo! Fronte alta!... Come era stranamente verde la chioma del Cristo nell'oleografia! Sembrava quasi erba o, per essere più preciso, pareva proprio l'erba folta di un prato. Osservazione esattissima la mia, erba di prato grassa e fitta... E una catena di idee fugacemente collegate fra loro mi passò per la testa: dall'erba verde arrivai a un passo della Bibbia dove è detto che la vita è come l'erba che si brucia, poi al giorno del Giudizio in cui tutto brucerà, poi deviai verso il terremoto di Lisbona, dopo di che mi parve di vedere una sputacchiera spagnola di ottone e una penna d'ebano che avevo visto in casa di Ylajali. Eh sì, tutto passa. Proprio come l'erba che si brucia! Tutto va a finire entro quattro assi e un lenzuolo funebre... della signora Andersen, nel portico, a destra!

In quel momento disperato tutte queste cose si affastellavano nella mia testa, mentre la padrona era sul punto di cacciarmi di casa.

«Non sente neanche!» gridava. «Dico che dovete uscire di casa, avete capito? Per mille diavoli, per me quest'uomo è matto! E adesso andatevene, immediatamente, e non una parola di più!».

Guardai la porta, ma non volevo andarmene, no, non volevo andarmene! Mi balenò invece un pensiero ardito: se ci fosse stata una chiave nella toppa l'avrei girata rinchiudendomi insieme con gli altri per non dover uscire. Avevo un terrore folle e isterico di ritrovarmi su una strada. Ma la porta non aveva chiave. Perciò mi alzai; non c'era più speranza.

Ed ecco intervenire improvvisamente il padrone. Mi fermai sbalordito. Strano, quell'uomo che pochi minuti prima mi aveva minacciato prendeva ora le mie parti. Diceva: «Non si può cacciar fuori la gente di notte. Dovresti sapere che è proibito per legge».

Io non sapevo che fosse vietato per legge, credevo di no, ma forse era vero. Certo è che la donna si calmò rapidamente e non mi disse più nulla. Mi preparò persino due pani col burro, ma io non li toccai per gratitudine verso suo marito e dissi che avevo già mangiato in città.

Quando finalmente uscii nell'anticamera per coricarmi, la padrona venne fin sulla soglia e disse forte sporgendo verso di me il grosso ventre: «Ma questa è l'ultima notte che dormite qui. Ricordatevelo!».

«Sì, sì» risposi.

L'indomani avrei certo risolto il problema del ricovero purché me ne fossi occupato assiduamente. Un buco lo dovevo pur trovare. Intanto ero lieto di non dover dormire quella notte nella strada.

Dormii fino alle cinque o alle sei del mattino. Quando mi destai non era ancora chiaro, ma mi alzai immediatamente. Per via del freddo mi ero buttato sul letto senza spogliarmi e non avevo quindi bisogno di vestirmi. Presi un sorso d'acqua e, aperta la porta senza far rumore, uscii subito per paura d'incontrare ancora la padrona.

Gli unici esseri viventi che incontrai nelle strade furono due o tre guardie del servizio notturno. Poco dopo i lampionai incominciarono a spegnere i fanali a gas. Io giravo senza meta, arrivai nella via della Chiesa e presi la strada della Fortezza.

Gelato e assonnato, con le ginocchia fiacche per la lunga marcia, e molto affamato, mi sedetti là su una panchina e mi appisolai. Per tre settimane ero vissuto esclusivamente del pane imburrato che la padrona mi dava mattina e sera. Ora erano esattamente ventiquattr'ore da quando avevo preso l'ultimo pasto. E di nuovo sentivo i morsi della fame; urgeva trovare una via d'uscita. E tra questi pensieri mi riaddormentai...

Mi destai sentendo qualcuno che parlava vicino a me e dopo essermi fregati gli occhi vidi che era ormai giorno e che c'era molta gente in giro. Anch'io mi alzai e mi allontanai. Il sole saliva dalle alture boscose, il cielo era bianco e pulito, e per la gioia di quel bel mattino dopo le lunghe settimane di buio dimenticai le mie pene e pensai che molte altre volte ero stato assai peggio. Mi battei una manata sul petto e mi misi a canticchiare. La mia voce aveva un tono sofferente, un tono malato che mi commosse fino alle lagrime. E la giornata magnifica col cielo bianco imbevuto di luce mi fece una tale impressione che non potei fare a meno di scoppiare in singhiozzi.

«Che cos'avete?» mi domandò un tale.

Io non risposi e scappai via nascondendo a tutti il mio volto.

Arrivai ai pontili di carico. C'era un grande barcone che batteva bandiera russa e scaricava carbone. Sul fianco lessi il nome «Copégoro». Il viavai sulla nave straniera mi distrasse un poco. I lavori di scarico dovevano essere quasi terminati. Il barcone infatti sporgeva già nove piedi sopra la linea d'immersione nonostante la zavorra già imbarcata, e quando i portatori passavano in coperta con gli scarponi pesanti, tutta la nave mandava un suono di vuoto.

Il sole, la luce, il vento salmastro del fiordo, quel lavorio allegro e affaccendato, tutto ciò mi riconfortò e mi fece scorrere il sangue nelle vene con ardore. Mi venne anche in mente che stando lì avrei potuto forse comporre qualche scena del mio dramma.

Tirai fuori il manoscritto e tentai di mettere insieme la risposta di un monaco, una risposta che doveva essere violenta e carica d'intolleranza. Ma non mi riuscì. Saltai quindi il monaco e incominciai a elaborare un discorso, il discorso del giudice alla profanatrice del tempio: scrissi mezza pagina di quel discorso e poi smisi. Non riuscivo a trovare il tono adatto alle sue parole. Quell'andare e venire, il canto monotono dei marinai, i tonfi degli argani e il fragore incessante delle catene male si adattavano all'atmosfera del Medioevo impenetrabile che doveva gravare come una nebbia sopra il mio dramma. Ripiegai il manoscritto e mi alzai.

Tuttavia avevo ripreso felicemente l'avvio e sentivo che, se le cose si mettevano bene, ero capace di fare qualcosa di buono. Intanto bisognava trovare un posto dove andare. Mi fermai in mezzo alla strada a pensare, a riflettere, ma non conoscevo un angolo tranquillo in tutta la città dove potessi mettermi in pace per qualche tempo. Non c'era altra soluzione: dovevo proprio ritornare alla locanda a Vaterland. Mi torcevo a questo pensiero e seguitavo a ripetermi che era assurdo... eppure andavo in quella direzione e mi avvicinavo al luogo proibito. Certo era vergognoso, d'accordo, lo ammettevo, era addirittura obbrobrioso. Ma era inutile: non c'era più alterigia in me, niente affatto; osavo anzi asserire di essere una delle creature meno superbe che ci fossero mai state al mondo. E continuavo a camminare.

Davanti alla porta mi soffermai a riflettere ancora una volta. Ma succedesse quel che doveva succedere, bisognava rischiare. Non si trattava forse di una cosa da nulla? Prima di tutto mi occorrevano soltanto un paio d'ore e poi, per tutti i santi, non mi sarei mai più rifugiato in quella casa: me lo proponevo fermamente. Entrai dunque nel cortile. E mentre passavo sulle pietre ineguali con cui era lastricato, provai un nuovo moto di incertezza e stavo per tornare indietro. Ma strinsi i denti: no, niente orgoglio fuori luogo! Alla peggio potevo trovare la scusa che ero venuto per salutare, per prendere commiato decorosamente e mettermi d'accordo sui debitucci che avevo lasciato. Aprii quindi la porta dell'anticamera e appena entrato rimasi sbalordito.

Davanti a me, a soli due passi di distanza, c'era il padrone senza cappello e senza giacca che guardava nello stanzone dal buco della serratura. Mi fece un cenno con la mano perché stessi zitto e continuò a guardare. E rideva.

«Venite qua!» sussurrò.

Mi avvicinai in punta di piedi.

«Vedete?» disse con un riso silenzioso e convulso. «Guardate là dentro! Se ne stanno insieme. Il vecchio, lo vedete? vedete il vecchio?».

Nel letto, esattamente sotto il Cristo dell'oleografia, e molto vicino a me scorsi due persone, la padrona e il pilota forestiero. Le gambe della donna si disegnavano bianche sulla coperta scura. E nel letto all'altra parete c'era il padre di lei, il vecchio paralitico che stava a guardare col mento appoggiato alle mani, raggomitolato come al solito senza potersi muovere.

Mi volsi verso il padrone il quale faceva grandi sforzi per non ridere forte. Si turava il naso.

«Avete visto il vecchio?» bisbigliò. «Dio buono, lo avete visto il vecchio? Se ne sta là a guardare!». E riavvicinò l'occhio al buco della serratura.

Io andai a sedermi presso la finestra. Quello spettacolo aveva sconvolto senza pietà i miei pensieri e annientato ogni mia ispirazione. Ma dopo tutto che m'importava? Se il marito tollerava, se anzi ci trovava il suo divertimento, io non avevo certo alcun motivo per occuparmene. E in quanto al vecchio, era appunto vecchio. Forse non vedeva nemmeno. Forse dormiva, chissà, forse era morto. Non mi sarei certo stupito se mi avessero detto che era morto. La mia coscienza non c'entrava.

Ripresi il manoscritto e volli scacciare tutte quelle impressioni che non mi riguardavano. Mi ero interrotto in mezzo a un periodo del discorso del giudice: «Così mi comandano Dio e la legge, così mi comanda il consiglio dei miei sapienti, così mi comanda anche la coscienza...». Guardai dalla finestra pensando e cercando che cosa gli dovesse comandare la coscienza. Dallo stanzone mi giunse un lieve rumore. Ma ciò non mi riguardava minimamente. Inoltre il vecchio era morto, era morto forse quella stessa mattina alle quattro. Il rumore mi era dunque infinitamente indifferente e mi lasciava freddo. Perché diamine dovevo preoccuparmene? Stai calmo, una buona volta!

«Così mi comanda anche la coscienza...».

Ma tutto congiurava contro di me. Quell'uomo davanti al buco della serratura non stava zitto, sentivo ogni tanto la sua risata rauca e lo vedevo tremare. Anche fuori, nella strada, c'era una cosa che mi distraeva: un ragazzino era seduto sul marciapiede, al sole, e giocava tranquillo e inconsapevole, facendo una pallottola con alcune strisce di carta. A un tratto balzò in piedi imprecando, camminò a ritroso fin sulla strada, scorse un uomo, un uomo adulto con tanto di barba rossa, che affacciato a una finestra del secondo piano gli aveva sputato in testa. Il piccolo piangeva per la rabbia e lanciava insulti impotenti verso la finestra mentre quello gli rideva in faccia. Così passarono cinque minuti. Io mi volsi dall'altra parte per non vedere il pianto del fanciullo.

«Anche la mia coscienza mi comanda di...».

Non riuscivo ad andare avanti e infine ebbi una grande confusione in testa. Mi parve persino che tutto quanto avevo scritto fosse senza valore, che anzi l'idea centrale fosse insensata. Si poteva parlare di coscienza nel Medioevo? La coscienza fu inventata da quel vecchio maestro di ballo, Shakespeare. Perciò tutto quel mio discorso era una scempiaggine. In tutti quei fogli dunque non c'era nulla di buono? Li scorsi ancora una volta e vinsi i miei dubbi. Trovai passi grandiosi, lunghi tratti di grande bellezza. E di nuovo sentii nel mio cuore inebriato il desiderio di rimettermi al lavoro e di terminare il dramma.

Mi avvicinai alla porta senza curarmi del gesto rabbioso con cui il padrone m'invitava a star fermo. Attraversai risolutamente l'anticamera, presi la scala del secondo piano e ritornai nella mia vecchia stanza. Tanto, il pilota non c'era. Che cosa m'impediva dunque di trattenermi là qualche minuto? Non avrei certo toccato la sua roba, anzi non volevo neanche sedermi al suo tavolino, mi accontentavo di stare su una sedia dietro la porta. Ardendo d'entusiasmo stesi i fogli sulle ginocchia.

E per alcuni minuti il lavoro procedette magnificamente. Botta e risposta, una dopo l'altra, mi fiorivano nel cervello: scrivevo senza fermarmi. Riempii una pagina dopo l'altra superando tutti gli ostacoli, entusiasta di quei momenti felici, dimentico di me stesso. L'unico suono che ero in grado di sentire in quei momenti era il mio gioioso mormorio. E mi venne anche un'idea luminosa: una campana che a un certo punto del dramma doveva intervenire coi suoi rintocchi. Tutto andava a meraviglia.

A un tratto udii dei passi sulle scale. Rabbrividii e sentendomi mancare mi tenni pronto ad alzarmi; la fame mi rendeva pavido e agitato. Stetti in ascolto con tutti i nervi tesi e pur stringendo la matita non potei scrivere più nemmeno una parola. La porta si aprì e nella stanza entrò la coppia che avevo visto. Prima che avessi il tempo di chiedere scusa la padrona, esterrefatta, esclamò: «Dio del cielo, guardalo, ancora qui!».

«Scusatemi» dissi, ma non potei continuare.

La padrona spalancò la porta e gridò: «Se non ve ne andate di corsa, per Dio, chiamo la polizia!».

Mi alzai mormorando: «Volevo soltanto salutarvi, ma ho dovuto aspettare. Non ho toccato nulla, mi sono solo seduto su questa sedia...».

«Via, non importa» borbottò il marinaio. «Che male c'è? Lascialo stare!».

Quando fui in fondo alla scala mi sentii scoppiare dalla collera contro quel donnone gonfio che mi seguiva per cacciarmi via al più presto possibile, e mi fermai un istante con la gola piena d'insulti sanguinosi che volevo scagliarle in faccia. Ma mi contenni e tacqui, per gratitudine verso il forestiero che la seguiva e poteva udire. La padrona mi stava alle calcagna e a ogni passo la mia collera aumentava.

Arrivammo giù nel cortile. Io camminavo molto lentamente, riflettendo ancora se dovevo sfogarmi o no. Non ero più padrone di me e già vedevo sangue: un colpo, e l'avrei fatta stramazzare esanime, bastava una pedata nel ventre! Sulla soglia mi vidi passare accanto un fattorino che mi salutò, ma io non risposi. Egli si rivolse alla padrona e sentii che chiedeva di me; ma non mi voltai.

Avevo fatto alcuni passi sul marciapiede quando il fattorino mi raggiunse e salutatomi ancora mi fermò porgendomi una lettera. L'aprii con uno strappo rabbioso: ne uscì un biglietto da dieci corone, ma nessuna lettera, non una parola.

«Che trucchi sono questi? Chi manda la lettera?».

«Mah, non lo so» rispose quello. «Me l'ha data una signora».

Restai sbalordito, mentre il fattorino si allontanava. Rimisi le dieci corone nella busta, ne feci una pallottola, tornai indietro verso la padrona che mi spiava dalla soglia e le buttai in faccia le dieci corone. Senza pronunciare una sillaba. La osservai che svolgeva la carta appallottolata e poi me ne andai...

Che gesto, eh? Non c'è che dire. Senza sprecare una parola con quella gentaglia, prendere un bigliettone, farne una pallottola e scaraventarlo in faccia ai propri aguzzini! Questo sì che è un comportamento dignitoso! Così bisogna fare con quei bestioni!...

Quando arrivai all'angolo fra la Tomtegate e il piazzale della stazione la strada incominciò improvvisamente a girarmi davanti agli occhi e, mentre la testa mi ronzava, dovetti appoggiarmi al muro di una casa. Non potevo più andare avanti. Le gambe non mi reggevano. Non riuscivo a rimettermi in piedi e avevo l'impressione di svenire. A quell'attacco di debolezza la mia collera aumentò ancora, e incominciai a battere violentemente i piedi sul marciapiede. Feci anche dell'altro per riprendere forza, strinsi i denti, corrugai la fronte, rotai disperatamente gli occhi, e mi accorsi che stavo meglio. Il pensiero mi si schiarì e compresi che quello era solo il principio. Tesi le braccia e mi staccai dal muro.

La strada mi danzava ancora attorno. Folle di rabbia mi misi a singhiozzare e lottando con tutte le mie energie riuscii a non cadere. Ero ben deciso a non crollare e volevo morire in piedi. Vidi passare lentamente un carretto carico di patate. Ma ostinato e rabbioso com'ero, dissi che non erano patate, ma cavoli, e giurai per tutti i santi che erano cavoli.

Afferravo benissimo le mie parole e ripetevo coscientemente quella menzogna, soltanto per avere la magnifica soddisfazione di giurare il falso. M'inebriavo all'idea di quel peccato grandioso, sollevavo le tre dita e giuravo con le labbra tremanti in nome del Padre, del Figliuolo e dello Spirito Santo, che erano cavoli.

Il tempo passava. Mi lasciai cadere su uno scalino e asciugatomi il sudore dalla fronte e dal collo respirai profondamente, sforzandomi di stare calmo. Venne la sera, il sole tramontava. E io ripresi a pensare alla mia situazione. La fame mi aggrediva senza riguardi e tra un paio d'ore sarebbe scesa la notte. Dovevo trovare una soluzione finché ero in tempo. I miei pensieri ripresero a circolare intorno alla locanda dalla quale mi avevano cacciato. Non ci volevo ritornare in nessun caso, eppure non potevo fare a meno di ripensarci. A dire il vero, quella donna aveva tutto il diritto di buttarmi fuori. Come potevo pretendere che mi si alloggiasse se non pagavo? E poi mi aveva dato anche da mangiare ogni tanto. Persino la sera prima, quando l'avevo provocata, mi aveva offerto due pani col burro; me li aveva offerti per bontà d'animo poiché sapeva che di quel pane avevo bisogno. Non avevo dunque alcun motivo di lagnarmi e, seduto su quello scalino, incominciai a chiederle perdono del mio contegno, con molta umiltà. Soprattutto mi rammaricavo di essermi dimostrato ingrato verso di lei all'ultimo momento e di averle scagliato in faccia quel biglietto!

Dieci corone! Feci un fischio. La lettera recapitata dal fattorino da dove era venuta? Soltanto ora incominciai a pensarci e compresi subito come stavano le cose. Mi sentii male dal dolore e dalla vergogna e ripetendo alcune volte con voce strozzata: «Ylajali!» scotevo la testa. Non avevo deciso il giorno prima di passarle vicino alteramente quando l'avessi incontrata e di mostrarle la massima indifferenza? Ed ecco che invece avevo soltanto suscitato la sua grande pietà e l'avevo indotta a quell'elemosina misericordiosa. Oh, la mia umiliazione non aveva tregua! Nemmeno di fronte a lei potevo assumere un atteggiamento decente. Affondavo, affondavo da tutte le parti, dovunque tentassi di muovermi barcollando, cadevo in ginocchio, affondavo sempre più, affogavo nell'ignominia... e non mi sarei risollevato mai più, mai più! Avevo raggiunto il colmo! Accettare dieci corone di elemosina senza poterle buttare ai piedi dell'offerente sconosciuto, arraffare i soldi dovunque mi fossero offerti e tenerli, pagare con essi l'alloggio per quanto mi fossero odiosi!...

Ma non potevo procurarmi in nessun altro modo quelle dieci corone? Andare dalla padrona e pregarla di restituirmi quel denaro era certo un'impresa disperata... Eppure ci doveva essere un'altra soluzione, se avessi pensato a fondo, se mi fossi proprio sforzato e stillato bene il cervello. Perbacco, non si trattava di pensare alla maniera solita, si trattava di mettere in moto tutte le mie capacità per trovare la via di riavere quelle dieci corone. E per arrivarci mi lambiccavo il cervello.

Potevano essere le quattro: tra un paio d'ore avrei potuto incontrare il direttore del giornale, se fossi riuscito a finire in tempo il mio dramma. Presi immediatamente il manoscritto, mi ci buttai a corpo perduto per scrivere quelle tre o quattro ultime scene che mi mancavano. Concentrando il pensiero, con la fronte sudata, rilessi tutto il pezzo da principio, ma senza riuscire a fare un passo avanti. Coraggio adesso, avanti, senza superbia! E scrissi alla cieca, scrissi tutto ciò che mi veniva in mente pur di procedere. E procedevo davvero. Mi davo a intendere di avere un altro momento felice, mentivo a me stesso, m'ingannavo sapendo d'ingannarmi e scrivevo, scrivevo, come se non avessi bisogno di cercare le parole. Molto bene! Ecco la trovata giusta! mormoravo tra me. Scrivi, scrivi!

Infine però le battute mi parvero un po' sospette. Erano evidentemente peggiori che nelle prime scene e poi le parole del monaco non avevano niente a che vedere col Medioevo. Strinsi la matita fra i denti, balzai in piedi, lacerai il manoscritto foglio per foglio, buttai per terra il cappello e mi misi a calpestarlo. Sono perduto! mormorai fra me, signore e signori, sono perduto! E non dissi altro, continuando a calpestare il cappello.

A pochi passi da me c'era una guardia che mi stava a osservare. Stava in mezzo alla strada e non badava ad altro che a me. Quando mi volsi verso di lui, i nostri sguardi s'incontrarono. Forse era là da parecchio a guardarmi. Presi il cappello, me lo misi in testa e mi avvicinai a quell'uomo.

«Scusate, sapete che ora è?» domandai.

Dopo un momento di esitazione tirò fuori l'orologio, ma senza perdermi di vista.

«Sono quasi le quattro» rispose.
«Bravo!» replicai. «Quasi le quattro, perfettamente. Vedo che ve ne intendete. Mi ricorderò di voi».
E lo piantai lì. Rimase sbalordito, mi seguì con gli occhi, a bocca aperta, sempre con l'orologio in mano. Quando arrivai vicino all'Hôtel Royal mi volsi: egli era ancora là nello stesso atteggiamento e mi guardava.
«Ecco, così bisogna trattare questi animali! Con la più raffinata faccia tosta. Ne restano impressionati, questi bestioni, e si spaventano...». Ero contento di me e ricominciai a canterellare. Tremando dall'agitazione, senza provare alcun dolore, anzi senza il minimo disagio attraversai leggero come una piuma tutto il piazzale della stazione e mi sedetti infine sopra una panchina presso la chiesa del Redentore.
Non era forse indifferente se rimandavo o non rimandavo quelle dieci corone? Se le avevo ricevute, voleva dire che erano mie e che chi le aveva mandate certo non pativa la miseria. Se me le avevano inviate espressamente, dovevo pur accettarle. Sarebbe stato sciocco lasciarle al fattorino! Né d'altro canto era opportuno rimandare un biglietto da dieci corone diverso da quello che avevo ricevuto. Dunque non c'era niente da fare.
Tentai di prestare attenzione al movimento nel piazzale e di occupare i miei pensieri con cose insignificanti. Ma non ci riuscivo: ripensavo continuamente a quelle dieci corone. Infine strinsi i pugni e dissi inviperito: «Si offenderebbe, se le rimandassi il denaro. E allora perché dovrei mandarlo?». Non sapevo dunque smettere di credermi superiore a tutto, di scuotere la testa con superbia e di dire «no, grazie!». Ora capivo dove s'andava a finire. Ero di nuovo sul lastrico. Eppure avrei avuto la più bella occasione di conservarmi l'alloggio comodo e caldo! Ma ero stato superbo, ero scattato alla prima parola e col gran gesto delle dieci corone regalmente distribuite me n'ero andato per la mia strada... Mi sottoposi a un se-

vero giudizio, per aver abbandonato l'alloggio e per essere ricaduto in una situazione così disperata.

Ma in fin dei conti il diavolo poteva portarsi via ogni cosa! Non ero stato io a chiedere quelle dieci corone, si può dire che non le avevo neanche avute fra le mani e me ne ero sbarazzato subito pagando gente estranea che non avrei riveduto mai più. Così ero fatto, all'occorrenza pagavo fino all'ultimo centesimo. E Ylajali, per quanto la conoscevo, non rimpiangeva certamente il denaro che mi aveva mandato. Perché stavo dunque a torturarmi l'anima? Infine era il minimo che ella potesse fare: mandarmi dieci corone di quando in quando. Quella povera figliuola era pur innamorata di me, innamorata da morire... E a questo pensiero mi gonfiavo tutto. Senza dubbio quella povera ragazza era innamorata di me!

Erano le cinque. Mi sentivo svenire per la troppa tensione nervosa e la mia testa ricominciò a ronzare. Con gli occhi fissi e immobili dinanzi a me guardavo verso la farmacia dell'Elefante. La fame mi tormentava crudelmente e io ne soffrivo in modo straziante. Mentre guardavo così davanti a me, mi parve di riconoscere una persona: la venditrice di dolci accanto alla farmacia dell'Elefante!

Sobbalzai e incominciai a riflettere. Sì, era proprio vero, era quella stessa donna, dietro lo stesso banchetto, nello stesso posto. Fischiettando e facendo schioccare le dita mi alzai dalla panchina e mi avviai verso la farmacia. Un po' di serietà, perbacco! M'importava poco che fosse denaro del demonio o buon argento norvegese di zecca! Non volevo rendermi ridicolo. Si può morire anche di troppa superbia...

Girato l'angolo andai difilato verso la dolciaia, le sorrisi con un cenno amichevole come fossi un conoscente e scelsi le parole come se quella mia visita fosse la cosa più naturale del mondo.

«Buon giorno» dissi. «Non mi riconoscete?».

«No» rispose lentamente, guardandomi.

Sorrisi ancora, come se quella sua negazione fosse uno scherzo, e soggiunsi: «Non vi ricordate che un giorno vi ho dato una manciata di corone? Se ben rammento, allora non dissi neanche una parola. Io faccio sempre così. Quando si tratta di persone oneste è superfluo prendere accordi, stipulare, per così dire, un contratto per ogni sciocchezza. Sono io quello che vi ha dato quel denaro».

«Oh guarda, siete stato voi! Sì, sì, a ripensarci adesso vi riconosco...».

Per evitare che mi ringraziasse di quel denaro dissi rapidamente, mentre già sceglievo con gli occhi i commestibili che aveva sul banco: «Ecco, vedete, e adesso sono venuto a prendere i pasticcini».

Quella non capiva.

«I pasticcini» ripetei. «Ora sono venuto a prenderli. Almeno una parte, la prima rata. Non mi occorrono tutti oggi».

«Siete venuto a prendere i pasticcini?» domandò.

«Sì, appunto, sono venuto apposta!» risposi ridendo forte come se avesse dovuto capirlo fin dal primo momento. E preso dal banco un dolce, una specie di panino bianco, incominciai a mangiare.

La donna si alzò subito e fece istintivamente un gesto come per difendere la merce, osservando che non si aspettava che venissi a rubare la sua roba. «No? Davvero?» esclamai. Che brava donna, non c'era che dire! Le era mai capitato di ricevere in consegna una manciata di corone senza che il proprietario venisse a richiederle? No, vero? Ecco dunque! Credeva forse che fossero denari rubati perché glieli avevo buttati là in quel modo? Non lo credeva, vero? Brava, meno male. Era molto gentile se per lo meno mi considerava un uomo onesto. Che bel tipo! Veramente straordinario.

Ma perché le avevo dato quel denaro? E si mise a strillare montando in collera.

Le spiegai il motivo parlando con perfetta calma: dissi che quel modo di fare era una mia consuetudine, perché ero convinto che tutti gli uomini sono buoni. Quando uno mi presentava un contratto o una quietanza rifiutavo sempre scotendo il capo e dicendo «no, no, grazie». Proprio così, il cielo mi era testimone.

Ma la donna non mi capiva ancora.

E ricorsi ad altri argomenti, parlai con energia dicendo che non volevo sentir sciocchezze. Non le era mai capitato che qualcuno pagasse in anticipo come avevo fatto io? Persone beninteso che se lo potevano permettere come, per esempio, i funzionari dei consolati? No? Non le era mai capitato? Ma che colpa avevo io se non conosceva quelle forme della vita sociale? All'estero era una cosa comunissima. Non c'era mai stata, all'estero? Eh, sfido io! Dunque non poteva neanche avere un'opinione su una simile faccenda. E intanto presi qualche altro panino.

Ella incominciò a ringhiare, rifiutò ostinatamente di cedermi un po' di quelle provviste, anzi mi strappò di mano un panino e lo rimise sul banchetto. Io m'infuriai, battei un pugno sul banco e minacciai di chiamare la polizia. Non volevo danneggiarla, osservai, ben sapendo che, se avessi preso tutto quanto mi spettava, le avrei rovinato la bottega, dato che a suo tempo le avevo consegnato un bel mucchio di quattrini. Ma non volevo prendere tutto, mi accontentavo di merce per la metà dell'importo. E poi non sarei più ritornato. Per carità, visto che apparteneva a una simile razza di gente...

Infine scelse alcuni panini e me li diede a un prezzo infame, saranno stati quattro o cinque, ed erano valutati il più possibile. Poi m'invitò a prenderli e ad andarmene. Stetti ancora a litigare dicendo che m'imbrogliava di almeno una corona e mi sfruttava con quei prezzi da usuraia. «Ma non sapete che per simili bricconate si va in galera? Dio vi faccia la grazia, altrimenti potreste finire in prigione a vita, vecchia carogna!». Quella mi buttò ancora un panino e digrignando i denti mi disse di andare via.

Così mi allontanai. Ora vorrei vedere un'altra bottegaia così poco fidata! Passeggiando per la piazza e divorando i panini non facevo che discorrere tra me di quella donna e della sua sfacciataggine, ripetevo le parole che ci eravamo scambiate ed ero convinto di essere molto superiore a lei. Mangiavo i dolci davanti a tutti, l'uno dopo l'altro, e parlavo a voce alta.

E i dolci scomparivano velocemente. Ma per quanti ne ingoiassi, la fame non diminuiva. Ero così vorace che per poco non mangiavo anche l'ultimo pasticcino che fin da principio avevo destinato a quel bimbo laggiù nella Vognmandsgate, a quel bimbo cui l'uomo dalla barba rossa aveva sputato sulla testa. Pensavo continuamente a quel piccolo, non potevo dimenticare la sua espressione, quando era scattato in piedi piangendo, imprecando. E quando quello aveva sputato, aveva alzato gli occhi verso la mia finestra come per vedere se anch'io ridessi di lui. Chissà se l'avrei trovato? Mi affrettai verso la Vognmandsgate, passai vicino al punto dove avevo stracciato il mio dramma – vi trovai ancora molti pezzetti di carta –, girai al largo intorno alla guardia che poco prima avevo sbalordito col mio contegno e mi trovai finalmente davanti al gradino dove era stato seduto il piccolo.

Non c'era. La strada era quasi deserta. Incominciava ad annottare e non potei rintracciare il bambino. Forse era già rientrato. Posai delicatamente il pasticcino sulla soglia, bussai forte e scappai via. «Lo troverà» dicevo tra me. «Lo troverà certamente appena esce!», e al pensiero che il bambino avrebbe trovato certamente quel dolce gli occhi mi s'inumidirono dalla gioia.

Ritornai verso la banchina del porto.

Non avevo più fame. Ma i dolciumi che avevo inghiottito non mi avevano fatto bene. In testa mi si affollavano di nuovo i pensieri più sfrenati: se avessi tagliato di nascosto gli ormeggi di una delle navi? se avessi gridato «al fuoco» allarmando i pompieri? Avvicinatomi all'acqua trovai una cassetta sulla quale mi sedetti giungendo le mani. Sentivo nella testa una confusione sempre più tumultuosa, ma non mi movevo, non facevo nulla per tenermi ritto.

Così seduto fissai lo sguardo sul barcone russo *Copégoro*. Vidi un uomo appoggiato alla murata, sotto la luce del fanale rosso. Mi alzai e gli mandai una voce, non sapevo neanch'io perché. Non avevo in mente niente di particolare e non mi aspettavo nessuna risposta.

Dissi: «Partite stasera, capitano?».

«Già, tra non molto» rispose quell'uomo. Parlava svedese. Dunque, pensai, sarà finlandese.

«Senta... per caso, non avreste bisogno di un uomo?». In quel momento mi sarebbe stato del tutto indifferente ricevere un rifiuto. In genere m'importava poco quale risposta avrei ricevuto. Stavo a guardarlo e aspettavo.

«No» rispose. «Ci servirebbe un giovane!».

«Giovane?». Mi alzai, mi tolsi gli occhiali e me li misi in tasca, percorsi la passerella e salii a bordo a grandi passi.

«Io non ho mai navigato,» osservai «ma so fare tutto quello che vorrete. Dove siete diretti?».

«Partiamo con un carico di zavorra per Leeds, e là carichiamo carbone per Cadice».

«Benissimo!» esclamai e insistetti perché mi prendesse. «La meta del viaggio poco importa. Vedrete che saprò lavorare».

Egli stette un po' a guardarmi e a riflettere. Poi domandò: «Non siete mai stato in mare?».

«No. Ma vi ripeto che mi potete affidare qualunque lavoro. Sono abituato a tutto».

Lui continuò a riflettere. Io mi ero già illuso di partire e avevo una gran paura di essere rimandato a terra.

«Che cosa pensate, capitano?» domandai infine. «Credetemi, so fare tutto quello che volete. Anzi sarei un buono a nulla se non facessi più del lavoro affidatomi. Se occorre, posso fare due turni di guardia l'uno dopo l'altro. Io non ne soffro, anzi mi fa bene».

«E sia! proviamo!» disse sorridendo alle mie ultime parole. «Se non sarò contento, possiamo separarci in Inghilterra».

«Certo» risposi con gioia. E ripetei che se non rendevo, potevamo separarci in Inghilterra.

E il capitano mi assegnò il mio compito...

Quando fummo al largo mi rizzai in piedi, sudato e abbattuto dalla febbre, e dissi addio per questa volta alla città, a Christiania, dove tutte le finestre, ora illuminate, scintillavano.

STAMPATO DA L.E.G.O. S.P.A. STABILIMENTO DI LAVIS

# GLI ADELPHI

ULTIMI VOLUMI PUBBLICATI:

460. Sam Kean, *Il cucchiaino scomparso*
461. Jean Echenoz, *Correre*
462. Nancy Mitford, *L'amore in un clima freddo*
463. Milan Kundera, *La festa dell'insignificanza*
464. Pietro Citati, *Vita breve di Katherine Mansfield*
465. Carlo Emilio Gadda, *L'Adalgisa*
466. Georges Simenon, *La pipa di Maigret e altri racconti*
467. Fleur Jaeggy, *Proleterka*
468. Prosper Mérimée, *I falsi Demetrii*
469. Georges Simenon, *Hôtel del Ritorno alla Natura*
470. I.J. Singer, *La famiglia Karnowski*
471. Jorge Luis Borges, *Finzioni*
472. Georges Simenon, *Gli intrusi*
473. Andrea Alciato, *Il libro degli Emblemi*
474. Elias Canetti, *Massa e potere*
475. William Carlos Williams, *Nelle vene dell'America*
476. Georges Simenon, *Un Natale di Maigret e altri racconti*
477. Georges Simenon, *Tre camere a Manhattan*
478. Carlo Emilio Gadda, *Accoppiamenti giudiziosi*
479. Joseph Conrad, *Il caso*
480. W. Somerset Maugham, *Storie ciniche*
481. Alan Bennett, *Due storie sporche*
482. Alberto Arbasino, *Ritratti italiani*
483. Azar Nafisi, *Le cose che non ho detto*
484. Jules Renard, *Lo scroccone*
485. Georges Simenon, *Tre inchieste dell'ispettore G.7*
486. Pietro Citati, *L'armonia del mondo*
487. Curzio Malaparte, *La pelle*
488. Neil MacGregor, *La storia del mondo in 100 oggetti*
489. John Aubrey, *Vite brevi di uomini eminenti*
490. John Ruskin, *Gli elementi del disegno*
491. Aleksandr Zinov'ev, *Cime abissali*
492. Sant'Ignazio, *Il racconto del Pellegrino*
493. I.J. Singer, *Yoshe Kalb*
494. Irène Némirovsky, *I falò dell'autunno*
495. Oliver Sacks, *L'occhio della mente*
496. Walter F. Otto, *Gli dèi della Grecia*

497. Iosif Brodskij, *Fuga da Bisanzio*
498. Georges Simenon, *L'uomo nudo e altri racconti*
499. Anna Maria Ortese, *L'Iguana*
500. Roberto Calasso, *L'ardore*
501. Giorgio Manganelli, *Centuria*
502. Emmanuel Carrère, *Il Regno*
503. Shirley Jackson, *L'incubo di Hill House*
504. Georges Simenon, *Il piccolo libraio di Archangelsk*
505. Amos Tutuola, *La mia vita nel bosco degli spiriti*
506. Jorge Luis Borges, *L'artefice*
507. W. Somerset Maugham, *Lo scheletro nell'armadio*
508. Roberto Bolaño, *I detective selvaggi*
509. Georges Simenon, *Lo strangolatore di Moret e altri racconti*
510. Pietro Citati, *La morte della farfalla*
511. Sybille Bedford, *Il retaggio*
512. *I detti di Confucio*, a cura di Simon Leys
513. Sergio Solmi, *Meditazioni sullo Scorpione*
514. Giampaolo Rugarli, *La troga*
515. Alberto Savinio, *Nuova enciclopedia*
516. Russell Hoban, *La ricerca del leone*

GLI ADELPHI
Periodico mensile: N. 209/2002
Registr. Trib. di Milano N. 284 del 17.4.1989
Direttore responsabile: Roberto Calasso